hikikomori library　edited by hiroki kashiragi

ひきこもり図書館

部屋から出られない人のための12の物語

頭木弘樹 編

毎日新聞出版

ひきこもり図書館

部屋から出られない人のための12の物語

私はひきこもっています。
そうしたかったわけではなく、
そんな生き方は想像したこともなかったのに。
囚人を地下牢に入れるように、
私は自分自身を部屋に閉じ込めてしまいました。
いまではもう、どうやって部屋から出たらいいのかわかりません。
たとえドアが開いていても、
外に出るのが怖いのです。

ナサニエル・ホーソーン

ひきこもり図書館　館長からのご挨拶

この図書館の目的は、ひきこもりを肯定することでも、否定することでもありません。ただ、ひきこもることで、人はさまざまなことに気づきます。心にも身体にもさまざまな変化が起きます。

そのことを文学は見逃さずに描いています。その成果をひとつに集めたいと思いました。

私自身、十三年間、ひきこもり生活を送りました。

その間、いろいろな本を読みました。その中には、自分がひきこもり生活の中で感じた、さまざまな思い、切実なんだけど、もやもやしてうまく言葉にできない思いが、見事に描かれていました。

それを読むことは、私にとって、大きな救いでした。

どの作品も、体験を凝縮した結晶のような素晴らしいものばかりです。ひきこもったことのある方もない方も、ぜひお読みください。

ひきこもり図書館　目次

ひきこもっている間に忘れられる

［散文詩］

死なない蛸（たこ）

萩原朔太郎

〝だれも人々は、
その薄暗い水槽を忘れていた。
もう久しい以前に、
蛸は死んだと思われていた。〟

或る水族館の水槽で、ひさしい間、飢えた蛸が飼われていた。地下の薄暗い岩の影で、青ざめた玻璃天井*の光線が、いつも悲しげに漂っていた。だれも人々は、その薄暗い水槽を忘れていた。もう久しい以前に、蛸は死んだと思われていた。そして腐った海水だけが、埃っぽい日ざしの中で、いつも硝子窓の槽にたまっていた。

けれども動物は死ななかった。蛸は岩影にかくれて居たのだ。そして彼が目を覚した時、不幸な、忘れられた槽の中で、幾日も幾日も、おそろしい飢餓を忍ばねばならなかった。どこにも餌食がなく、食物が全く尽きてしまった時、彼は自分の足をもいで食った。まずその一本を。それから次の一本を。それから、最後に、それがすっかりおしまいになった時、今度は胴を裏がえして、内臓の一部を食いはじめた。少しずつ他の一部から一部へと。順々に。

かくして蛸は、彼の身体全体を食いつくしてしまった。外皮から、脳髄(のうずい)から、胃袋から。どこもかしこも、すべて残る隈(くま)なく。完全に。

或る朝、ふと番人がそこに来た時、水槽の中は空っぽになっていた。曇った埃っぽい硝子の中で、藍色の透き通った潮水(しおみず)と、なよなよした海草とが動いていた。そしてどこの岩の隅々(すみずみ)にも、もはや生物の姿は見えなかった。蛸は実際に、すっかり消滅してしまったのである。

けれども蛸は死ななかった。彼が消えてしまった後ですらも、尚(な)お且(か)つ永遠にそこに生きていた。古ぼけた、空っぽの、忘れられた水族館の槽の中で。永遠に——おそらくは幾世紀の間を通じて——或(あ)る物(もの)すごい欠乏と不満をもった、人の目に見えない動物が生きて居(い)た。

＊ガラス天井のこと。

ひきこもり願望

［ドイツ文学］

ひきこもり名言集
フランツ・カフカ

頭木弘樹 選訳

〝ぼくにとって最も理想的な生活は、
閉ざされた地下の
いちばん奥の部屋にいることでしょう。〟

カフカはだいたい百年くらい前の人です。まだ「ひきこもり」という言葉はありませんでした。でも、そのころからカフカは、ひきこもりたがっていました。

生活のために仕事には通っていましたが、「仕事に行こうとすると、故郷を去らねばならない人のような悲しさにおそわれる」

恋人とは手紙のやりとりだけで、実際に逢うのは嫌がりました。

「手紙のなかの彼女が、現実にあらわれることへの恐怖に近い気持ち」

フランツ・カフカ

(Franz Kafka)

1883－1924　プラハ（現在のチェコの首都）で生まれ育った、ドイツ語で書く、ユダヤ人の小説家。父親からの強制で、大学で法律を学び、サラリーマン生活を送る。当時の人気作家だった親友のブロートの助力で、いくつかの作品を新聞や雑誌に発表し、『変身』などの単行本を数冊出版。しかし、ごく一部でしか評価されず、生前はほとんど無名。生涯独身で、41歳の誕生日の1ヵ月前に結核で死去。死後、20世紀を代表する作家と評価されるように。

家にひきこもることは、
いちばん楽だし、勇気もいらない。
それ以外のことをやろうとすると、
どうしてもおかしなことになってしまうのだ。

（日記）

進んでみたい道を、進むことはできません。
いえ、それどころか、
その道を進んでみたいと望むことすらできません。
ぼくにできるのは、
じっとしていることだけです。
その他には何も望めません。
実際、他には何も望んでいません。

（恋人のミレナへの手紙）

ぼくはひとりで部屋にいなければなりません。
床の上に寝ていればベッドから落ちることがないように、
ひとりでいれば何事も起こらないからです。

（婚約者のフェリーツェへの手紙）

ひとりでいられれば、ぼくだって生きていけます。
でも、誰かが訪ねてくると、
その人はぼくを殺すようなものです。

（恋人のミレナへの手紙）

孤独はぼくにとって、
唯一の目標であり、
最も心ひかれるものであり、
可能性をもたらしてくれるものだ。
にもかかわらず、
これほど愛しているものを、ぼくは怖れている。

（親友のブロートへの手紙）

ぼくにとって最も理想的な生活は、
閉ざされた地下のいちばん奥の部屋にいることでしょう。
食事は誰かが、いちばん外のドアのところに置いてくれるのです。
地下の丸天井の下を通って、その食事を取りに行くのが、
ぼくの唯一の散歩です。
それから自分の部屋に戻って、ひとりでゆっくり食べるのです。

（婚約者のフェリーツェへの手紙）

鬼退治に行かない桃太郎

［昔話］

桃太郎——岡山県新見市

立石憲利 編著

〝桃太郎は、木の株の根太で、
いびきばっかりかいて、グウグウ寝る。〟

日本人なら誰でも知っている「桃太郎」。

でも、「桃太郎」にはたくさんのバリエーションがあることはあまり知られていません。

よく知られている「桃太郎」は、大きくなると、鬼ヶ島に行って、鬼退治をして、宝物を持って帰ってきます。この物語によって、大人になったら、社会に出て、勝ち組にならなければという呪縛にかかってしまう人も。

でも、じつは、ひきこもり傾向があって、鬼退治に行かない桃太郎も！

立石憲利

（たていし・のりとし）

1938－　岡山県津山市生まれ。民俗・民話の調査・研究者、語り手。岡山民俗学会名誉理事長、日本民話の会会長、日本桃太郎会連合会会長など。『日本昔話通観』（同朋舎出版）、『ふるさと岡山のなぞなぞ』（山陽新聞社）、『おかやま伝説紀行』（吉備人出版）、『つやまの民話』（津山市）ほか編著書（共編著も含む）200冊以上。2004年に久留島武彦文化賞、2007年に岡山県文化賞、山陽新聞賞を受賞。

昔あるところに、爺さんと婆さんとおったそうで、爺さんは山へ木樵りに行く、婆さんは川へ洗濯に行く。洗濯ぅしょうたら、上から、うっかりうっかり桃が流れてきて、へえから食うてみたらうまかった。

「もひとつ流れえ、爺にやる。もひとつ流れえ、爺にやる」

言ようたら、また、間もなく上から流れてきて、婆さん喜んで持ってもどって、そりょう櫃に入れて、爺さんがもどるのを待っとったら、爺さんが、

「ああ、婆さん、今帰ったあ」

「爺さん今日不思議なことがあった。川ぇ洗濯ぃ行ったら、大きな桃が上から流れてきて、食うてみたらうまかったけえ、『もひとつ流れえ爺にやる』言ようたら、また流れてきたけえ、櫃ぃ入れてとっとるんじゃ（しまっているのだ）」

せえから、行ってみたら、どうしても櫃が開かん。せえから、ますかりゅう（まさかりを）持って割ったら、大けな男の子が出来た。

「お爺さん、お爺さん、なんとこりゃあ思えがけもない。家にゃあ子供がおらんのに、男

の子が、なんと桃からうまれたんじゃが、桃太郎いう名ぁ付きょうか」いう。

「そりゃあえかろう」

せえから、大きょうにしょうて、ある日のこと、近所の友達が、

「桃太郎さん、木ぅ拾いぃ行きましょうや」

「木ぅ拾いぃ行きゃあええんじゃが、なんにも拵（こしら）えが出来とらん」

せえから、あくる日、

「いま、にかわ（荷を背負う綱）をなようる」

せえから、また、あくる日、

「今日は、行きましょうや」

「今日は、にかわの髭（ひげ）ぅむしらにゃあならん」

また、翌日に、

「今日行きましょうや」

「今日は、背な当ぅせにゃあならん」

「今日行きましょう」

いうて翌日に出たら、

「今日は、背な当ての髭むしりじゃ」

また、あくる日に出たら、

「今日、わらじゅう作らにゃあいけん」

また翌日に、

「行きましょう」

「今日、わらじの髭むしりじゃ」

せえから、また、

「今日行きましょう」

「今日は、ますかり（まさかり）ゅう研がにゃあならん」

せえから、そのあくる日に、また、

「行きましょうや」

いうたら、

「今日は、木鎌(きがま)ぁ研がにゃあならん」

せえから、そのまた翌日に出たら、

「さあ今日は、拵えがまあ整うたけえ行くかなあ」

せえから奥山ぇ行って、友達は、カンカン切る。桃太郎は、木の株の根太(ねた)で、いびきば

っかりかいて、グウグウ寝る。せえから、

「桃太郎さん、なんと帰りましょうや」

いうて、

「わしゃあまだ木ぅひとつも拵えとらんのじゃ」

「どうも、わしらがあぎょういうても、あげるほど木ぅ拵えとらんのでえ」

「ほんなら、わしゃあ、この木の株ぅ、うがいて（引き抜いて）負うて去(い)ぬる」

せえから、ごっそりうがいて、桃太郎はにかわを掛けて負うてもどって、

「ああ、お爺さんやお婆さん、いま帰りました」

「ああ、ご苦労じゃったなあ」

「なんと、こりょう、すぐ枯れとりますけえ、どこへ降ろしましょうか」

いうたら、

「庭（内庭）へないと負うて入れえ」

「こりゃあ、庭ぇ、せえでも降ろしゃあ庭がとびますで（壊れますよ）」

「そんなら、風呂場の口ぃでも降ろすねえ」

「風呂場の口ぃ降ろしゃあ、風呂場がとびますで」

「そんなら、今度(こんだ)ぁ上の木小屋へ負うて上がって（母屋より高い位置にある）、木小屋へ

降ろせえ」

「木小屋がとびゃあしますがのう」

いうてから、降れえたら、どおうっと木小屋がとんでしもうて、これが、昔こっぷりどじょうの目。

（語り手・新見市哲西町川南　賀島具一郎　明治24年生まれ）

注　この話は、山行き型「桃太郎」（鬼退治部分なし）の典型的なものである。

桃太郎は、山に木拾い（枯れ木を拾う）に誘われるが道具の準備をする——ニカワをなう、ニカワのひげをむしる、背な当て作り、背な当てのひげむしり、わらじ作り、わらじのひげむしり、まさかり研ぎ、木鎌研ぎ——といって何日も山に行かない。いまでは木拾いや木樵りなど焚き木を作ることがなくなったので、その道具もよく分からなくなった。

ニカワはニカオとかニオといって、背物を背負う綱。稲藁を三本よりにしてなうので近所の者が寄り合って作業する。正月の特定の日に「綱打ち」などといって行う例が多い。背な当ては、物を背負うと背中に当たって痛いので、クッションの役割をするもの。背な当てをして、その上に荷を負う。背な当ては、稲藁やそば幹などで作る。わらじは、紐で足に結びつけるようになった藁製の履き物。いずれも稲藁製なので作ると、藁の端などがのぞく。それを切り取る作業を「髭むしり」という。

木を降ろす風呂場口と木小屋も、見かけることが少なくなった。焚き木は風呂を沸かす燃料にするので、風呂場の前に置き場がある。それを風呂場口という。木小屋は、焚き木を収納する建物で母屋とは独立している。壁のついていない小屋で、焚き木を積み重ねて保存する。

なお櫃（ひつ）は、長形で大型、上蓋の箱。衣類などを入れるもの。長持（ながもち）の類。

差別によるひきこもり

［ショートショート］

凍った時間

星新一

〝ずれちがう人たちは、
みな同じような目をムントにむける。
ムントの心につきささる、
数えきれぬ矢のようだった。〟

他人の視線というのは怖ろしいものです。

どこか他の人とちがっていると、それだけで、じろじろ見られたり、目をそらされたり。気にしなければいいと思っても、なかなかそうはいきません。

いたたまらなくなり、視線の矢に追われて、ひきこもるしかなくなる場合もあります。

ひきこもりたくてひきこもるのではなく、他の人たちの差別的な意識によって、ひきこもらされるのです。その孤独とかなしみ……。

星新一

（ほし・しんいち）

1926－1997　小説家。東京生まれ。東京大学大学院前期修了。1957年、日本最初のＳＦ同人誌「宇宙塵」の創刊に参画。同年、「セキストラ」が江戸川乱歩編集「宝石」11月号に転載され、商業誌デビュー。日本SF文学の旗手として脚光を浴びる。ショートショートという分野を開拓し、「ショートショートの神様」と呼ばれ、1001編を超す作品を生み出した。日本SF作家クラブの初代会長。海外でも人気が高く、20言語以上に翻訳されている。

ムントは夢を見ていた。

ひどいめにあわされる夢だった。人びとに尻をけとばされ、こぶしで腹をつつかれ、手のひらで顔をたたかれる。また、冷えきった水のなかにも沈められた。無数の針でさされるような、痛さだった。

つぎには、柱につながれ、まわりで火がたかれるのだった。炎はおどるように彼に触れ、皮膚を焼いた。変な臭気は鼻を襲い、煙は口にも流れこみ、舌の上にいやな味を残した。そのため、はきけがこみあげてくる……。

ここで眠りからさめ、夢は終ってしまった。ムントはもっと見ていたかったのだが、これだけはどうしようもない。

ムントはベッドの上に身を起こし、あたりを見まわした。いつもと変わらぬ、せまい殺風景な部屋のなかには、いまの夢のかけらさえ残っていなかった。

ここがムントのすまいなのだが、台所、洗面所、ふろ場などはついていない。彼にとって、これらはみな不必要だった。また、鏡は一枚もおいてなかった。彼にとって、鏡ほどいやなものはない。

鏡があると、そこに自分の顔がうつる。みにくくはないが、表情の浮かぶことのない顔なのだ。プラスチック製の顔では、泣いたり笑ったり、できるわけがない。目はガラス製のレンズだった。その奥には、小型のテレビカメラがおさまっている。耳の奥にはマイクロフォンが、口のなかには人工の発声装置が……。

顔は見ないで過ごせたが、ほかの部分は、どうしても目にはいってしまう。両方の手は、合金製のマジックハンド。足もまた同様だった。からだのなかでは、モーターや歯車の規則正しい音が、かすかにつづいている。

ロボット。だれでも第一に、こう考えるだろう。

いや、ムントは高度のサイボーグなのだった。ロボットとは人間のような機械のことだが、サイボーグとは機械のような人間のことだ。ロボットだったら夢を見たり、むかしを思い出してなつかしんだり、できるわけがない。

眠りからさめてしばらくのあいだ、ぼんやりと思い出にふけるのが、ムントの習慣になっていた。いたずら盛りだった子供のころを、社会へ出て希望に燃えていたころを、そして、二十八歳の冬までのことを。

二十八歳の冬、ムントは勤め先の工場で、事故にあった。思わぬまちがいで、特殊な放射能を持つ薬品を、あびてしまったのだ。症状はしだいに、からだをおかしはじめた。むかしだったら、とても助からない事態だったが、ムントは科学の進歩した時代のおかげで、死をまぬがれた。脳だけを残して、あとのすべてを人工のものに換える、最新医学の方法によってだ。人工心臓のポンプで、合成血液を脳に送りこむ。それで生きているのだった。

もちろん、人工器官をそなえた人は、ムントのほかにもいる。だが、それは胃とか耳とかの一部だけなのだ。ムントのように徹底的で、表情までも失ったものはいなかった。

このような人間をサイボーグと呼ぶ。からだの大部分は機械なのだが、それでも人間にちがいなかった。こんなふうになっても、生きているほうがいいのだろうか。と、彼は時どき考える。しかし、いくら考えても答えはでなかったし、死ぬのは、やはりいやだった。

それから十年、この殺風景な、窓のない部屋で、彼の生活はつづいている。窓がないのは、ここがビルの地下二階にあるためだ。窓のある部屋に住み、空や雲や町のにぎわいを眺めて暮らしたいとは思う。しかし、それは同時に、人びとに見られることをも意味する。また、強引なセールスマンなども、押しかけてくるだろう。

ムントは人目をさけ、この地下二階という穴ぐらのような物置きで、ひっそりと暮らす以外になかった。

だれでもムントを見ると、ロボットと思って、面白そうに笑いかける。だが、サイボーグと知ったとたん、表情を変えるのだ。彼は伝染性のある病人でも、特別な人種でも、危険な狂人でも、恥ずべき囚人でもない。しかし人びとは、それらを見るような、特殊な視線を集中してくる。それから、あわてて目をそらせるのだ。

そのたびに、ムントは、いたたまれなくなってしまう。笑いかけようにも、プラスチック製の人工の顔では、表情が自由にならない。手を伸ばして握手を求めても、相手は避けてしまう。無気味な人工の声では、話しかけないほうがいいにきまっている。

いっそのこと、よってたかっていじめられたほうが、どんなにいいだろう。そして、二度と戻らない、失われた感覚を味わいたかった。暑さ寒さ、痛み、におい、味。どんな苦痛でも、ゼロよりははるかにいい。しかし、いずれも不可能なのだった。時たま見る夢のなか以外では。

一日じゅう、ムントは一歩も外出をしない。買い物や散髪など、外出の必要はなかった。訪れてくる人は、毎週一回、合成血液の缶を配達にくる男だけ。だがいつも、ドアの外に、そっとおいて逃げるように帰ってゆく。

殺風景な部屋だが、テレビはあった。これが彼のただひとりの友。社会へ開いているただ一つの窓といえた。テレビなら、いかに見つめても、見つめかえされることはない。ただひとつの生きがいとも言えた。

できるものなら、もっと社会に役立ち、人に喜ばれるような生きがいを持ちたい。彼はいつも、そう考える。しかし、いくら考えても、思いつかないのだった。人に見られ、相手に不快な気分を味わわせないよう、ここに閉じこもっているのが、自分にできる、ただ一つの役目なのかもしれない。

ムントは義手を伸ばし、テレビのスイッチを入れた。明るくなった画面では、料理番組をやっていた。彼はそれを眺め、味を想像して、心ゆくまで楽しんだ。だが人工の口のなかには、唾液はけっしてわいてこない。

ひとつ、喜劇映画でも見よう。ムントはべつな局にチャンネルを換えた。頭のなかには、テレビの番組表がすっかり暗記されている。喜劇を見つめているうちに、やがて彼は画面の中の主人公になりきり、自分がサイボーグであることを、いくらか忘れかけた。

その時、画面が不意に、まっ白く変わった。なにも、うつらなくなってしまったのだ。音もとだえた。どうしたのだろう。せっかく面白くなってきたのに……。

ムントはしかたなく、チャンネルをつぎつぎに切り換えてみた。だが、どの局でも同じことだった。画面は白いままで、音も出てこない。

きっと、故障したにちがいない。修理店の人を呼ばなくてはならないようだ。修理店の人と顔をあわせたくはなかったが、このままでは完全なひとりぼっちだ。

久しく使わず、ほこりをかぶったままの電話機をとりあげた。ムントは呼び出し音を聞きながら、他人をいやな気分にする人工の声で話さなければならないのかと思うと、気がめいるようだった。

しかし、相手はなかなか出なかった。るすのようだ。ムントは電話帳でほかの修理店をさがし、かけなおしてみた。五軒ほど試みたが、どこも応答がなかった。どういうわけなのだろう。どこの修理店も、そろって電話に出てくれないというのは。

ふしぎさは、やがて不安と変わった。なにが起こったのだろう。なにかが起こったにちがいない。思わず警察へかけてみた。しかし、これも同じだった。消防署も、新聞社も、また電話局そのものも、どこへかけても、呼び出し音が限りなくつづくばかり。

もしかしたら……。

そのさきは考えつかなかった。突発的な核戦争だろうか。しかし、それらしき地ひびきはなかったし、停電もしていない。とすると、暴動かなにかによる混乱が起こっているのだろうか。だが、それなら電話は、不通かお話中であるべきだ。テレビ局と電話局に、同時に事故が起こったのだろうか。

まるで見当がつかなかった。しばらくして、またテレビのチャンネルをまわし、ほうぼうへ電話をかけてみた。やはり、事態は変わっていない。不安ではあったが、彼はあわてはしなかった。食料や水は不要なのだし、合成血液のストックはある。

すぐに死ぬという心配はなかったが、テレビがうつらなくては、することがなかった。本を買っておけばよかったと後悔したが、こんな場合は予想もしなかったのだから、しかたがない。

自動掃除器のスイッチを入れた。だが、五分ほどで室内はきれいになり、自動的に止まってしまった。眠れるものなら、夢でも見たいところだった。しかし、目がさめたばかりでは、そうもいかない。

ベッドに横になっていると、不安にかわって好奇心が高まってきた。なにが外で起こっているのだろう。それを知りたいという欲望は、押さえきれないまでに強くなった。

ムントはベッドからおり、服をつけ、くつをはいた。帽子をふかくかぶり、マスクをつけ、サングラスをかけ、最後に義手に手袋をはめた。他人の目に与える不安感を、少しでもやわらげるためには、こうしたほうがいいのだ。

何年かぶりで、彼はドアをあけた。廊下は人影もなく静かだった。もっとも、地下二階はいつもこうなのだ。コンクリートの床に音を響かせて歩き、階段をあがった。地下一階へ、そして、一階の道路への出入り口へと……。

久しぶりに眺める日光は、地下室の電灯の光とくらべものにならないほど、強いものだった。目についている絞りは、自動的に小さくなってそれに応じ、あたりの光景を彼に伝えた。

ムントは、そこで立ちすくんだ。自分に残された最後の器官である脳、それまでが狂いはじめたのではないかと思ったのだった。信じられないような眺めがひろがっていた。

動いているものが、なにひとつない。

といって、無人の町というわけではなかった。大ぜいの人がいる。だが、だれもかれも倒れたままで、目を閉じて動かないのだ。彼のすぐそばの道ばたには、若い男が崩れでもしたような姿勢で倒れている。そのむこうには、子どもと老人とが並んで横たわっている。ふたりは、手をつないだままだった。また、美しい服を着た婦人も倒れている。その手はくさりを握っていて、その一端には犬がついていた。倒れて動かない犬が……。

このような眺めが、限りなくつづいている。映画の機械が故障し、フィルムが動かなくなった時のようだ。

自動車などの交通機関も、すべて停止していた。そばに止まっている一台の車をのぞくと、運転席で男が倒れていた。倒れると同時に、自動ブレーキが作用して止まったのだろう。

どこからか音楽が流れてくるのに、ムントは気づいた。そこに行けば、倒れてない人に会えるかもしれない。その方角にむかって歩き、一軒の喫茶店にはいった。しかし、そこで発見したのはスピーカーだった。まもなく、それも終った。継続のボタンが押されないからだろう。

屋外ばかりでなく、屋内の人びとも倒れて動かない。すべての人が、そうなってしまったのだ。なぜ……。

ムントは椅子によりかかったままの男に近づき、さわってみた。気を失っているのだろうか、死んでいるのだろうか。その判断は下せなかった。さわってみても、人工の義手では、温度などの微妙な点を感じることができないからだ。

生死を確かめるのを、ムントはあきらめ、少し歩いてみることにした。サイボーグである自分を気にすることなく歩けるのが、この異様な光景のなかでの、わずかな救いだった。しかし、町角をいくつも曲がってみたが、どこまで行っても同じことだった。死の世界だ。死んだのではなくても、原因を調べるものも、手当てをするものもいない。このままなら、いずれにせよ死の世界になってしまう。

一瞬のうちに、こんなことになってしまった理由は、なんなのだろう。

ムントは空を見あげてみた。円盤の大編隊でも舞ってはいないだろうか、と考えたのだが、そんなものはなかった。青い空には、おだやかに白い雲が浮いている。宇宙からの侵略ではなさそうだ。

高空を、飛行機が一機だけ飛んでいた。倒れたままの人をのせて、自動操縦で飛びつづけているのだろうか。これもまた、知りようがなかった。飛行機は、見つめているうちに、雲のかなたへと消えていった。

いくら歩きつづけても、静まりかえった町には、動くものがなかった。わずかな例外は、風にゆれる街路樹の葉、公園の噴水、骨董(こっとう)店の飾り窓のなかの古風な振り子時計ぐらいだった。鳥獣店のなかも、すべてが停止していた。小鳥たちはみな、止まり木から落ち、鳥かごの底で動かなかった。剝製(はくせい)店にいるような気分だ。

人間の生きていることを感じさせる音は、どこからも聞こえてこなかった。たとえようもない寂しさが、どこからともなく押し寄せ、ムントを包みはじめた。それを振りはらおうとし、ムントは叫んだ。

「だれかいませんか」

単調な人工の声は、倒れている人びとの上を越え、通りのかなたへと、くりかえし消えていった。だが、答えてくれる声はなかった。ビルの壁にこだまして戻ってくる自分の声ばかり。

ムントは、叫ぶのをあきらめた。これから、どうしたらいいのだろう。地下室でのいままでの生活は、自分から求めたひとり暮らしだった。だからこそ、なんとかがまんしてこられたのだ。しかし、これからは本当のひとりぼっちなのだ。

人びとの視線を受け、消え入りたい思いになるのは、いい気分ではなかった。だが、そこには生きているという実感もあった。それなのに、いまはそれさえも味わえなくなった。おさえきれない感情がこみあげてきて、ムントはそばの店のショーウインドウをなぐりつけた。金属製の義手は、鋭い音をたててガラスを砕いた。ムントはそのなかに並べてあった食器のひとつを取り、べつの店めがけて投げつけた。しかし、何度くりかえし、いくら待っても、おこった顔つきで飛び出してきて、彼をどなりつける人物はいないのだ。

ムントは、自分が町じゅうの商品の持ち主になったらしいことを知った。しかし、皮肉なことに、ムントにとって価値のあるものは、なにひとつない。ぜいたくな食料品、高級な酒やケーキ、服、香水、宝石など、サイボーグにとって意味がない。テレビセットにしても、放送が止まったいまでは、無用の長物だ。

無理にあげるとすれば、書物ぐらいだろうか。しかしすべてが停止したなかでは、小説などを読んだところで、はたして面白いものだろうか。また、科学の本を読みあさり、この異変の原因を研究し、なにか解決の方法を見つけ出すには、何十年もかかるだろう。いや、それでも不可能かもしれない。

ムントは、本屋をさがすのをあきらめた。といって、あの地下室へ、ふたたび戻って行く気にもならなかった。

静まりかえった町を眺め、ただ立ちつくすだけだった。

ふとムントは顔をあげた。物音を聞いたように感じたからだ。どこかで、なにかが動くような音がする。あたりを見まわしていると、その音の主は不意に出現した。

少しはなれた町かどから、一台の自動車が走り出てきたのだ。ということは、まだ生きて動いている人間があったということを示している。

こちらに気づいてくれればいいが。とっさに、ムントはそう祈った。すぐに声をあげる習慣は、長いあいだの地下室生活で失われていた。人工の声では、相手を驚かす場合が多いからだ。

その祈りに応じたかのように、自動車はムントのほうへ近よってきた。どんな人間が乗っているのだろう。やはり、同じようなサイボーグだろうか。ふつうの人間なら、この異変からまぬがれることができなかったろう。しかし、だれでもいい。いまは、いっしょに驚き、寂しさをなぐさめあう、話し相手がほしかった。おそらく、相手も同じことだろう。

自動車はムントのそばへ来て、停止した。ドアが少し開き、運転席にいたひとりの人物が首を出した。だが、その表情はわからなかった。宇宙服のようなものを、身につけているのだ。そして、相手はムントに話しかけてきた。

「こんな場所で、なにを、ぼやぼやしているのだ」

人工の声ではない。ふつうの人間の声だった。ムントはすぐには答えられなかった。人工の声を出すには、まず、恥ずかしさをがまんする覚悟をしてからでなければならない。答えられない理由は、それだけではなかった。相手の声が落ち着きすぎていたからだ。こんな現象がおこったというのに、なぜ平気でいられるのだろう。そこが、ふしぎでならなかったのだ。

「服はどうした」

と相手は言った。なんの服のことだろう。それに、怒られているような感じだ。ますます、答えにくくなってしまった。

「活動しにくいから、脱いでしまったのだな。それは、まだ早いぞ。マスクだけでは、完全ではない。服をつけろ」

とまどうことばかりつづく。どう答えたら、相手のお気に召すのだろう。ムントは、呆然とするばかりだった。

「ははあ、どこかへ脱いで置いてきたのだな。よし、ここにおれの予備のが、もう一着ある。これをやろう」

相手はこう言い、窓からムントのそばに投げてよこした。服ばかりでなく、一丁の銃も。

「さあ、それを着て、銃を持つんだ。そして、三十分後に、第一官庁ビルの前の広場に集合する。そこで、新しい指示が与えられるのだ。注意して行動しろ」

こう言い残して、自動車は走り去っていった。結局、事情を知ることは、なにひとつできなかった。いまの人物は、なんだったのだろう。突然の事件で、頭がおかしくなっているのだろうか。しかし、それにしては冷静な口調だった。

ムントは身をかがめ、残していった服を拾い、身につけてみた。宇宙服のように、外の空気をさえぎることができるように作られた気密服だった。なぜ、これを着なければいけないんだ。わからないことは、まだある。この銃だ。

気密服をつけ、銃を手にして立つと、戦わなければならないような気分になった。しかし、その敵とは……。

やはり、宇宙からの攻撃なのだろうか。警報がおくれて大部分の人たちはやられてしまったが、まにあったものがあった。その生き残った人たちが集合して、反撃に移ろうとしているのかもしれない。そうなると、参加するのが人類の義務だ。サイボーグであっても、人間であることにちがいはない。

ムントは、第一官庁ビルをめざして歩きはじめた。道路には、どこも同じように人が倒れている。建物のなかでは、机にうつ伏せになったり、床に横たわったりしている。

うしろから、声をかけられた。

「うまくいったな。こうみごとに成功するとは、思わなかったな」

ふりむくと、そこにも気密服の男がいた。しかし、なんのことだ。このありさまが、なんでみごとなのだろう。人類がやられかけているというのに。それとも、この異変は宇宙からの攻撃ではないのだろうか。わからないながらも、ムントは首を動かし、うなずくまねをしてみせた。

「まもなく、われわれの天下だ。おたがいに、どんなぜいたくも望みのままだな」

男はこう言い、急ぎ足でムントを追いこしていった。ぜいたくとはなんのことだろう。サイボーグにとって、そんなものはありえない。

ムントは、命じられた場所へ直行することに、ためらいを感じた。どうも、すなおに従えない気持ちがする。自分だけ知らない、なにかが進行しているようだ。この点が面白くない。

第一官庁ビルのむかい、広場をへだてたところにも、ビルがある。ムントはそのなかへはいった。倒れている人を踏まないように歩き、エレベーターをさがした。それで五階へあがり、窓ぎわへと寄った。そとの音を聞こうと、少し窓をあける。

ちょうど、広場を見おろすことのできる場所だ。どこからともなく、気密服を着た人物が集まってくる。歩いてくるものもあったし、自動車で乗りつけたものもあった。また官庁ビルから出てくるものもある。数十人くらいになったころ、そのなかのひとりが台の上にあがり、話しはじめた。あたりが静かなため、ここでも、ことばを聞きとることができた。

「諸君。わたしの発明した薬品の効果は、まのあたりに見て、充分にわかったことと思う。ごく微量でも、一瞬のうちに、人体の筋肉をまひさせてしまうガスだ。早くいえば、新しく強力な眠りガスだ。これを飛行機からまいたのだ」

そうだったのか、とムントは思った。筋肉のないサイボーグだから、その作用を受けなかったのだろう。さらに眺めていると、台の上の人物に、だれかが質問している。

「作用は、どれくらいつづくのでしょう」

「あと約二時間だ。それを過ぎると、もとに戻る。脳はおかさないし、もちろん、死ぬことはない。世のなかが動きをとりもどした時には、わたしたちの政権になっているというわけだ」

「しかし、いったんは成功しても、あとずっと支配しつづける方法のほうは、大丈夫なのでしょうね。それだけが心配です」

「もちろんだ。薬品の製法は、わたしだけしか知らない。いつでも使えるのだとおどせば、反抗するものなど、出るわけがない」

これを聞いて、ムントには事件のすべてがのみこめてきた。筋肉を一時的にまひさせる、高性能のガスが発明された。その成功は、発明者の野心を刺激し、一味を集め、クーデターの動きとなった。政権さえ手に入れれば、あとは、いつ使われるかわからないそのガスの恐怖で、社会をおどし、永久に好き勝手なことをしつづけようという計画らしい。

ひどいやつがいるものだ。ムントは、いかりがこみあげてきた。そして、手には銃がある。ムントは、台の上でとくいげに指示を与えつづけている男にねらいをつけ、引金をひいた。

広場では、たちまち混乱がはじまった。かけよる気密服の人のむれ。連中はしばらく相談しているらしかったが、やがて散りはじめた。

中心人物が死に、ガスの製法の秘密が失われては、クーデターを進める自信がなくなってしまったのだろう。それに、ぐずぐずしていると人びとが動きはじめ、気密服を着て集まっていると、怪しまれてつかまってしまうのを心配したからだろう。

ムントは階段をおり、ビルの外へ出た。そして気密服を脱ぎ、銃とともに物かげに捨てた。指紋のないサイボーグは、こんな場合には便利だった。それから、人が多く倒れている場所をさがし、それにまざって身を横たえた。クーデターの残党にみつけられ、銃を撃ったのはおまえだろうと、しかえしされるのを警戒したのだ。ムントはじっと動かないでいた。しかし、近づいてくる足音もなかった。一味は完全に、陰謀をあきらめてしまったらしい。

そのうち、あたりに、ざわめきと活気がよみがえってきた。森に朝が訪れた時のようだった。麻酔ガスの作用が、終ったのだろう。人びとは立ちあがりはじめ、キツネにつままれたような顔を見あわせている。ムントもほっとし、いっしょに立ちあがった。

しかし、ほっとした気分も、たちまち消えていった。人びとは顔を見あわせているが、その目がムントの顔にいくと、そのとたんに表情が異様に変わるのだ。ムントにとっていやでたまらない、例の目つきに……。

サイボーグの人間に対する同情と、あわれみと、自分たちの前へ出てこなければいいのにという非難のまざった、無言の目つきに……。

ムントはいたたまれぬ思いで、歩きはじめた。すれちがう人たちは、みな同じような目をムントにむける。ムントの心につきささる、数えきれぬ矢のようだった。ムントは、なるべく人通りの少ない細い通りを選び、こそこそと、あの殺風景な地下室へと急ぐのだった。

感染を避けるためのひきこもり

［アメリカ文学］

赤い死の仮面

エドガー・アラン・ポー

品川亮 新訳

〝伝染病などおそれるにたりない。
ひきこもっているあいだに、
外の世界がどうなろうがかまうものか。
悲しみに暮れたり考えこんだりするなど、
ばかばかしい。〟

新型コロナウイルス感染症の蔓延(まんえん)で、初めてひきこもりを経験した人も多いでしょう。ひきこもりたくないのに、ひきこもらなければならないのは、つらいものです。しかも、感染症の不安と恐怖のなかで……。

人類は過去にもさまざまな感染症を経験しました。ペスト、コレラ、スペイン風邪など。この小説は、感染症を避けてひきこもった人たちの物語です。不安から目をそらし、楽しむ彼等の前に現れた、仮面の人物とは……。

エドガー・アラン・ポー

(Edgar Allan Poe)

1809－1849　アメリカの小説家、詩人、評論家。旅役者の両親と幼くして死別し、アラン家で養育される。ギャンブルの借金のために大学を中退。職を転々とし、雑誌編集の仕事をしながら詩や短篇小説を執筆。代表作は『アッシャー家の崩壊』『黒猫』『モルグ街の殺人』など。ゴシック・ホラーの傑作を生みだし、推理小説の元祖とされ、ＳＦ小説の元祖ともされ、純文学にも強い影響を与えた。旅の途中で泥酔状態で発見され、40歳で死去。

すでに長い間、〈赤い死〉[*]が国じゅうを荒らし回っていた。これほどに確実な死をもたらす、おそろしい疫病はなかった。ぞっとするような血の赤さが、この病の象徴だった。鋭い痛みがおこり、急なめまいに襲われ、毛穴という毛穴からおびただしい鮮血を噴出させながら死にいたる。全身の皮膚に、特に顔面に赤い斑点があらわれたら最後、犠牲者は仲間から見捨てられることになった。助けをさしのべる者も、同情を寄せる者もいなくなるのだ。しかも急な発症から死まで、すべての過程が三十分のうちに起こった。

しかし、プロスペロー公は快活でおそれを知らない、聡明な人物だった。領民の半数が死に絶えると、廷臣の中でも体力があって陽気な騎士と貴婦人たちを、千人呼び集めた。そして彼らと共に、居城の奥深くにひきこもったのである。

それは、広大で華麗な建築だった。プロスペロー公自身の、風変わりではありつつも格調高い趣味を体現していた。堅牢で背の高い城壁が周囲を固め、出入りするためには鉄門

＊〈黒い死（黒死病）〉と呼ばれたペストから名付けられた、架空の伝染病。

をぐらなければならなかった。廷臣たちは、持ち込んだ炉と巨大なハンマーを使ってかんぬきを内側から融かし固めた。それは強い決心のあらわれだった。中に入ってから絶望の発作に襲われたり、突如錯乱状態に陥ったりした場合にそなえて、出入りの道を断ったのである。城には、充分な食料の蓄えもあった。これだけ準備を整えておけば、伝染病などおそれるにたりない。ひきこもっているあいだに、外の世界がどうなろうがかまうものか。悲しみに暮れたり考えこんだりするなど、ばかばかしい。公爵はあらゆる愉しみを揃えていた。道化もいれば、即興詩人もいる。バレエ・ダンサーも、音楽家も、美人も、ワインも。内側にはこうしたもののすべてと、安全があった。ないのは、〈赤い死〉だけだった。

ひきこもり生活が、五カ月か六カ月目の終わりにさしかかった頃のことだ。その間、外では疫病の猛威が頂点を迎えていた。プロスペロー公は千人の仲間たちを招き、前代未聞の壮麗な仮面舞踏会を催した。

それは、贅沢のかぎりを尽くした舞踏会だった。だがまずは、会場のことをお話ししよう。七つの巨大な広間があり、それがひと続きになっていた。一般的な宮殿では、こうした続きの間は長くまっすぐにつながっていて、各広間の両端にあるスライド式の扉は、壁の中に完全に隠れるようになっている。端から端まで、さえぎられるものなく見わたせるようにするためだ。だが、ここではまるきり違った。公爵自身の風変わりな趣味から想像されるとおりの作りになっていたのだ。広間は不規則に連結され、かろうじて一間を見わたせるだけの視界しかひらけなかった。二十から三十ヤード*ごとに急角度に曲がり、そこを曲がるたびに新しい視覚効果が立ち現れた。両側の壁の中央には、細長いゴシック様式の窓があり、曲がりくねった続きの間の外側に設けられた、閉ざされた回廊に面していた。窓にはステンドグラスがはめられていて、各広間の色調に合わせて色が変化した。たとえば東端の広間は青色で飾られていたのだが、ステンドグラスもまた鮮やかな青だった。その次の間の装飾品やタペストリーは紫色で、ガラスは紫。三つ目の広間は全体が緑色で窓も緑、四つ目の間は装飾と照明がオレンジ色、そして五つ目は白、六つ目はすみれ色だった。七つ目の広間では、黒いベルベットのタペストリーが壁全体を隙間なく覆っていた。床にも同じ材質と色調のカーペットが敷かれ、壁との境目で大きなひだをなしている。だがこの広間の窓だけが、装飾の色と合っていなかった。深紅——濃厚な血の色だったのだ。さて、これら七つの広間は、天井から床までくまなく華やかな装飾で埋めつくされていたわけだが、ランプや燭台だけは置かれていなかった。部屋の内側には、光を放つものがひ

*約十八～二十七メートル。

とつもなかったのである。ただし広間にそって続く外側の回廊には、どっしりとした三脚台が立てられ、それぞれの窓の前でかがり火があかあかと燃えていた。それが、色付きのガラスを通して、広間をまばゆいまでに照らしていたのだ。こうして、けばけばしく幻想的な眺めが生み出された。だが西端に位置する黒の間では、深紅のガラスを通して黒い壁掛けの上にさし込む炎の明かりが、ぞっとするほど極端な効果をあげていた。この部屋に入る者の顔は、とてつもなくおそろしげに浮かび上がったのである。それで、ここに足を踏み入れようという大胆な者は、ほとんどいなかった。

　巨大な黒檀（こくたん）の時計が、東側の壁を背にして立っていたのもこの広間だった。振り子が、右に左にと揺れていた。そのたびに鈍く重い、単調な音がした。そして、分針が文字盤をひとめぐりし、時刻を知らせる時がやってくると、時計の真鍮製の肺の内部から、鐘の音が鳴り響いた。それはきれいに澄んでいて、大きく、深く、並はずれて音楽的だったが、音程と強弱のつきかたがきわめて特殊だった。それで、一時間が過ぎるたびに、オーケストラの演奏家たちは思わず手を止めて、しばらくの間、耳をかたむけた。すると必然的に、ワルツを踊っていた人々も旋回を止めることになった。それによってほんのつかの間、きらびやかな集団全体に居心地の悪い時間が流れたのである。

　時計の鐘が響く間、それまでいちばん浮ついていた者の顔さえ青ざめ、年配の落ち着いた雰囲気の人々も、深いもの思いの中で混乱したかのように、両手で額に触れるのだった。だが残響が完全に消え去ると、たちまちのうちに明るい笑い声が、再び広間を満たした。演奏家たちはまるで、神経質になってばかなことをしたとでもいうように視線を交わしてほほえんだ。そして、次に時計の鐘が鳴る時には、こんなふうにうろたえたりしないようにしようとささやき声で誓い合うのだった。そうして六十分がすぎると（つまり三千六百秒の時が流れると）、またしても時計の鐘が鳴る。するとまたしても同じように人々は落ち着きを失い、びくびくし、考えにふけるのだった。

だがそれでも、きらびやかで堂々たる宴であることにかわりはなかった。公爵には独特の審美眼があった。色彩とその効果を繊細に見きわめたのである。そして、うわべばかりを飾り立てたものは、無視した。その構想は奔放で炎のように熱く、荒々しい輝きを放つことばかりを思いついた。公爵は気がふれていると考える者もいた。だが、彼に心酔する者たちは、そうは思わなかった。それは、彼の話に耳を傾け、実際に顔を合わせ、親しく交わることではじめて確信できることだったのだ。

七つの広間の装飾は、大部分が公爵自身の指示によるものだった。仮面舞踏会に参加した者たちの装いにも、公爵の趣味が反映されていた。とにかくグロテスクであること。目を射るようにギラギラ輝き、毒がピリリと効いていて、亡霊めいていること――その多くが、のちに戯曲『エルナニ』*に見られることになった特徴である。衣装の手足の長さがちぐはぐで、不釣り合いな装飾品を身につけたアラビア風の姿の者たちがいた。狂人の夢想そのものを思わせる、錯乱した装いの人々もいた。美しくみだらで奇怪な者たち。ひたすらおそろしげで、嫌悪を催(もよお)させる姿も少なくなかった。それはまさに、無数の夢がひとかたまりとなって、七つの広間を行きつ戻りつ、さまよい歩く光景そのものだった。

この夢のかたまりは、広間から広間へと、それぞれの部屋の色調に身を染めながら、うねうねと移動し続けた。オーケストラの奏でる狂気じみた音楽は、彼らの踊るステップのこだまのように響いた。ほどなく、ベルベットの間に立つ黒檀の時計が鐘を鳴らす。するとつかの間すべてが静止し、静寂が訪れる。その中を、時計の声だけが鳴り続ける。夢のかたまりはその場に凍りつき、立ち尽くす。だが鐘の音は消えていき——響いていたのはほんの一瞬のことだ——そのあとを追うようにして、抑えぎみの笑い声がかろやかに漂いはじめる。再び音楽が高まり、夢のかたまりは命を吹き返し、これまでにも増して、陽気にうねうねと動き始める。無数の色付きガラスを通して流れ込む、かがり火から放たれた光線の色彩に染め上げられながら。

だが、西端の部屋に足を踏み入れようとする仮面舞踏者は一人もいない。夜がふけ、血の色のガラスから射し込む光の赤さは、ますます深みを増している。それが、真っ黒な垂れ幕の黒さに、人々を震え上がらせるようなおそろしさを加えるのだ。しかも、この部屋の真っ黒なカーペットに足を踏み入れる者は、黒檀の時計のくぐもった鐘を間近で聞くことになる。それは、ほかの広間で派手に浮かれ騒ぐ人々の耳に届く音とは比べものにならないほど重々しく、骨身にこたえるのだ。

一方で、そのほかの広間はぎっしりと混み合い、そこにいる人々の中では、熱に浮かされたように生命が脈打っていた。こうして舞踏会はいつまでも続き、ついに時計が真夜中の鐘を打ちはじめた。音楽はやみ、ワルツを踊る者たちの回転が止まった。これまで同様、すべてのものが居心地の悪い中断を迎えたのである。だが、今回の点鐘(てんしょう)は十二回だ。その分、舞踏会参加者たちが、もの思いにふける時間は長い。おそらくは、そのためだったのだろう。最後の鐘の残響が完全な静寂の中に消えないうちに、多くの人々が気づいた。それまでは気に留める者など一人もいなかった、仮面をつけたある人物の存在に。この新参者のことは、人々の囁き(ささや)合いによって広がっていき、ついには会場全体からざわめきと不満のつぶやきが巻き起こった。強い反感と驚きのあらわれだった――それは最終的に、

＊ヴィクトル・ユゴーによるこの作品の上演によって、古典派に対してロマン派が勝利をおさめたとされる。初演は一八三〇年。

恐怖と戦慄と嫌悪へと変化していった。

　こういう亡霊の集まりのような舞踏会においては、少しくらいおかしなものが出現しても、これほどの興奮を引き起こすことはないはずだ。そうお考えだろう。事実、この仮面舞踏会においては、許されない逸脱行為などほとんどなかった。しかしこの人物の姿には、残虐なヘロデ大王*をもしのぐ悪魔的なところがあった。プロスペロー公爵があいまいなままにしていた、礼儀作法の限界点すらも踏み越えていたのである。どれほど無頓着な者の心にも、触れられたくないところはある。完全に堕落し、生も死も冗談にしか感じられなくなった者にも、笑ってすまされない事がある。この不審者の衣装と身のこなしには、知性や礼節のかけらもないではないか。今や、舞踏会参加者たちの全員が、心の底からそう感じているようだった。

　背が高く痩せ細ったその人物は、頭の天辺から足のつま先まで、死に装束（しょうぞく）に包まれていた。顔面を覆（おお）う仮面は、硬直した死骸そのものだった。間近でじっくり見つめても、作り物には見えなかっただろう。とはいえそれだけだったとしたら、頭のおかしい舞踏会参加者たちから、賞賛は受けなかったにしても、かろうじて許容はされたはずだ。だがこの人物の場合は、〈赤い死〉を仮装するという暴挙に及んでいた。衣装は血塗（ちまみ）れで、広い額を含む顔面全体には、真っ赤な恐怖の斑点が無数に浮き上がっていたのだ。

この幽霊のような姿に目をとめたプロスペロー公の身体には、ふるえが走った（男は、自らの役割を自覚的に演じているかのように、ゆっくりと重々しい動きで、ワルツの踊り手たちの間を行きつ戻りつしていた）。一瞬、恐怖か嫌悪の強烈な身ぶるいに襲われたあと、公爵の額は怒りに赤く染まった。

「何者だ？」そばにいた廷臣に、しゃがれ声で尋ねた。「われわれを愚弄する気か？奴を捕らえて仮面を引き剝がせ。夜明けには胸壁から吊るしてやる。その前に正体を暴くのだ！」

そう言いわたした時、プロスペロー公は東端にある青の間にいた。だが、力強くたくましい公爵の言葉は、七つの間すべてにはっきりと響き渡った。彼が手を振ると同時に、音楽は止まった。

青の間に立つ公爵のかたわらには、一群の青ざめた廷臣たちの姿があった。公爵の言葉と同時に、この一団は侵入者の方へと詰めよろうとした。その人物はこのとき、もうそれほどの間近にいたのだ。そして公爵の方へと、計算し尽くしたかのような堂々たる一定の

＊猜疑心にかられて家族を含む多くの人間を殺害したとされる、紀元前四年頃まで生きたユダヤ王国の王。

足どりで近づきはじめた。ところが、その常軌を逸した衣装のために、人々はなんとも言えない畏怖の念にとらわれ、誰一人としてこの男を捕まえようと手を伸ばす者はいなかった。それで、男はさえぎられることなく公爵のかたわらをかすめ、通り過ぎていった。舞踏会参加者たちの群衆が、同じ一つの衝動に駆られたかのようにして、広間の中央から壁際へといっせいに身を引く一方で、男は立ち止まることなく前進を続けた。当初からその存在を際立たせてきた、堂々たる一定の足どりを変えることなく、青の間から紫の間へ――紫から緑の間へ――緑を抜けてオレンジの間へ――そこを抜けて白の間へ――そしてついにはすみれ色の間へと移動していったのである。この男を捕らえようという、決然たる動きは一つも起こらないままに。

　だがその時のことだった。憤怒とともに、一瞬のたじろぎを見せたという羞恥にわれを忘れたプロスペロー公が、六つの間を通り抜けて突き進んだのである。参加者全員が耐えがたい恐怖に支配され、公爵の後に続く者はなかった。抜き放った短剣を空中高く掲げた公爵は、歩み去りつつある男に、猛烈ないきおいで接近していった。あとわずか三、四フィート*のところまできたとき、男のほうはすみれ色の広間の端に到達した。そこで突如くるりと踵（きびす）を返すと、追跡者である公爵と対峙（たいじ）した。

　鋭い悲鳴が上がり、黒いカーペットの上に落下した短剣がぎらりと光った。一瞬後、プロスペロー公は息絶え、そのうえに倒れ伏した。そして絶望的な勇気をふりしぼった群衆が、いっせいに黒の間へと押しよせた。黒檀の時計のかたわらには、じっと立ち尽くす背の高い人物の姿があった。その衣装をつかんだ人々は、言葉にならない恐怖にはっと息を呑んだ。死に装束と死骸の仮面を荒々しく剝ぎ取ると、その下には、手で触れられるかたちあるものはなにひとつ存在していなかったのである。

こうしてついに人々は、〈赤い死〉が姿を現したことを知った。それは、夜中に忍び込む盗賊のように、侵入を果たしていたのだ。浮かれ騒いでいた踊り手たちは、一人また一人と、血に濡れそぼつ広間にくずおれ、倒れたときの絶望をあらわにしたままの姿で死んでいった。そして、浮かれ騒いでいた者たちの最後のひとりとともに、黒檀の時計の命が尽きた。そして、三脚台のかがり火が消えた。そして、暗闇と腐敗と〈赤い死〉がすべてを支配した。

＊約一メートル。

ひきこもりによる物の見え方・感じ方の変化

［エッセイ］

病床生活からの一発見

萩原朔太郎

〝人は私に問うた。
二ヶ月も病床にいたら、
どんなに退屈で困ったろうと。
しかるに私は反対だった。
病気中、私は少しも退屈を知らなかった。〟

長期間ひきこもったことのない人は、「ひきこもっていたら退屈だろう」と考えます。

ところが、じつはそうではありません。

最初こそ退屈を感じることもあるかもしれませんが、だんだんとむしろ退屈を感じなくなっていきます。

それは、物の見え方・感じ方が変化していくからです。新幹線では見逃していた素晴らしい風景を、鈍行で発見するように。日々はだんだんと驚きと深みを増していきます……。

萩原朔太郎

（はぎわら・さくたろう）

1886－1942　群馬県前橋の生まれ。小学校で仲間外れにされ、学校嫌いとなり、中学で落第し、高校受験も失敗。翌年入った高校も落第。大学を２つ退学になり、京都大学を受験して不合格に。前橋に戻り、詩を書き、マンドリンを弾く。病的感覚や強迫観念に苦しむ。32歳のときに詩集『月に吠える』を出し、一躍有名に。話し言葉を使って、形式的にも自由な詩を書くことに成功する。第二詩集は６年後の『青猫』。ほかに『猫町』などの小説も。

病気というものは、私にとって休息のように思われる。健康の時は、絶えず何かしら心に鞭うたれる衝動を感じている。不断に苛々して、何かしようと思い、しかも何一つ出来ない腑甲斐なさを感じている。毎日毎日、私は為すべき無限の負債を背負ってる。何事かを、人生に仕事しなければならないのだ。私が廃人であり、穀つぶしでないならば、私は何等か有意義の仕事をせねばならない。ところが私という人間は、考えれば考えるほど、何一つ才能のない、生活能力の欠乏した人間なのだ。文学の才能すらも、私にはほとんど怪しいのだ。

　私は駄目だ！　この意識が痛切にくるほど、自分を陰鬱にすることはない。結局して、自分は一個の廃人にすぎないだろうということが、厭らしい必然感で、私の心を墓穴の底にひきずり込む。しかもそれが、ほとんどある時は毎日なのだ。私はこの苦痛をまぎらすために、どうしても酒を飲まずにいられないのだ。しかも酒を飲むことから、一層悲痛になり、絶望的になってしまう。私は近頃、或る女流詩人の詩集の会で、侮辱された一婦人のために腹を立て、悲しくなって潸然と泣いてしまった。何者にもあれ、人を侮辱することは我れを侮辱することになるのだから。

ところが病気になると、こうした生活焦燥が全くなくなり、かつて知らない静かな澄んだ気分になれる。なぜだろうか？　病気は一切を捨ててしまうからだ。私はこの二月以来、約二ヶ月の間も病気で寝床に臥通しだ。初めの間、さすがに色々な妄想に苦しめられた。だがしまいには、全く病床生活に慣れてしまい、全く何事も考えなくなってしまった。病気の時は、人はただ肉体のことを考える。健康が、少しでも早く回復し、好きな食物が食え、自由な散歩が出来たらば好いと思う。病気の時ほど、人は寡欲になることはない。私に水とパンと新鮮な空気を与えよ。幸福は充分だとエピクロスが言った。病気は、丁度そういう寡欲さで、人をエピクロス的の快楽主義者にする。何の贅沢の欲望もない。普通の健康と自由さえあるならば、街路に日向ぼっこをしている乞食さえも羨ましいのだ。

何よりも好いことは、病気が一切をあきらめさせてくれることだ。病気の時には、一切のゾルレン*が消えてしまう。「お前は病気だ。肉体の非常危期に際している。何よりも治療が第一。他は考える必要がなく、またいわんやする必要がない。」と言う、特赦の休日があたえられてる。それの意識が、すべての義務感や焦燥感から、公に自己を解放してくれる。病気であるならば、人は仕事を休んで好いのだ。終日何もしないでぶらぶらとし、太々しく臥ていたところで、自分に対してやましくなく、かえって当然のことなのだ。無能であることも、廃人であることも、病気中ならば当然であり、少しも悲哀や恥辱にならない。

健康の時、私は絶えず退屈している。為(な)すべき仕事を控えて、しかもそれに手がつかないから退屈するのだ。退屈というものは、人が考えるように呑気(のんき)なものじゃない。反対に絶えず腹立たしく、苛々とし、やけくその鬱陶(うっとう)しい気分のものだ。だから人の言うように、仏蘭西(フランス)革命は退屈から起ったので、これがいちばん社会の安寧(あんねい)に危険なものだ。そこで為政者(いせいしゃ)は、人民の退屈感をまぎらすために、絶えず新しい事業を起し、内閣を更迭し、文化をひろめ、あるいは種々のスポーツを奨励し、娯楽場や遊郭や公共浴場を設計する。

ところが病気をしてから、この不断の退屈感が消えてしまった。人は私に問うた。二ヶ月も病床にいたら、どんなに退屈で困ったろうと。しかるに私は反対だった。病気中、私は少しも退屈を知らなかった。天井にいる一疋の蠅(はえ)を見ているだけでも、または昼食の菜(さい)を想像しているだけでも、充分に一日をすごす興味があった。健康の時、いつもあんなに自分を苦しめた退屈感が、病臥(びょうが)してから不思議にどこかへ行ってしまった。この二ヶ月の間、私は毎日為(な)すこともなく、朝から晩まで無為(むい)に横臥(おうが)して居たにかかわらず、まるで

＊「かくあるべきこと」「かくなすべきこと」。

退屈という感を知らずにしまった。稀にそれが来ても、かえって心地よい昼寝の夢に睡眠をさそうばかりであった。もしこれが、実の退屈というものであるならば、退屈は願わしいものだと思った。しかもこんな経験は、かつて健康の時に一度も無かった。

この病気の経験から、私は「無為自然」という哲学の意味を知った。私はエピクロスを知り、老子を知り、そしてなおかつストイックの本来の意味さえ解った。すべて此等の宗教（？）は、人生に安心立命の道を教える。そしてこの安心立命に至る手段は、要するに欲望を捨て、義務感を去り、生活に対する一切の責任感をあきらめてしまうことにあるのだ。既に一切をあきらめる。故に焦燥もなく、煩悶もなく、義務感もなく、真に無為不善でおりながら、しかもまたその無為によって退屈に悩まされることもない。すなちいわゆる「悠々自適」の境に達し、安心立命して暮すことができるのだ。

病気が、この種の宗教の真意を教えた。私は病気中、すくなくとも悠々自適に近い心境を体験した。私は無為に居て無為を楽しみ、退屈に居て退屈の満足を初めて知った。それから、あらゆる一般の病人が、だれもこの心境では同じでないかと考えた。そこでふと正岡子規のことが考えられた。あの半生を病床に暮した子規が、どんな詩を作ったかということが、興味深く考え出された。私は古い記憶から、彼の代表的な和歌を思い出した。それらの和歌は、床の間の藤の花が、畳に二寸足らずで下っているとか、枕元にある茶碗が、底に少し茶を残しているとかいうふうの、思い切って平凡退屈な日常茶飯事を、何等の感激もない平淡無味の語で歌ったものであった。

　こうした子規の歌――それは今日でもアララギ派歌人によって系統されてる。――は、長い間私にとっての謎であった。何のために、何の意味で、あんな無味平淡なタダゴトの詩を作るのか。作者にとって、それが何の詩情に価するかということが、いくら考えても疑問であった。ところがこの病気の間、初めて漸くそれが解った。私は天井に止まる蠅を、一時間も面白く眺めていた。床にさした山吹の花を、終日倦きずに眺めていた。実につまらないこと、平凡無味なくだらないことが、すべて興味や詩情を誘惑する。あの一室に閉じこもって、長い病床生活をしていた子規が、こうした平淡無味の歌を作ったことが、初めて私に了解された。世にもし「退屈の悦び」「退屈感からの詩」というものがありとすれば、それは正岡子規の和歌であろう。退屈もそれの境地に安住すれば快楽であり、かえって詩興の原因でさえあるということを、私は子規によって考えさせられた。

　既に子規の歌が解った私は、ついであの日本文学に於ける大なるスフィンクス――自然主義の文学と文学論――を理解することも容易であった。自然主義の文学論はできるだけ

＊約一メートル。

平凡無味の人生を、できるだけ無感激で書くことを主張した。

「平凡を平凡の筆致で書く」

「退屈を退屈の実感で書く」

これが自然派文学の主張であった。そこで彼等の作品ほど、文字通りに退屈極まる文学を、かつて世界に見たことがない。それらの文学は、じめじめした倦怠無意味の生活を、真にその退屈の実感で書いていた。こうした文学がいったい「何のために」「何の興味」で創作されるのかということは、子規のタダゴト歌以上に、私にとって釈きがたい謎であった。

病床生活から、私は初めてこの文学の謎を解いた。すくなくとも彼等が、あんなにくだらない平凡茶飯事を、何のために書いたかということの、不思議な心境が理解された。実に病気の間、私にとって生活の最も平凡無味のことが面白かった。病気の疲労した脳髄は、終日休息を欲して睡眠をむさぼった。そうした私の脳髄には、あらゆる刺戟性のものが不快であった。強い調子や、力のある思想や、感激性の高いものや、詩的情熱の燃えてるものや、すべてその種の読み物や談話やは、生理的に不愉快であり、異常な空虚の感をあたえた。私の疲労した身心は、静かな茶間の一室で、鉄瓶の湯の煮える音を楽しんだ。妻や近所の細君たちが、愚にもつかない日常の世間話をしているのが、何よりも興趣深く、かつ恍惚とした詩情にさえ思われた。それらの平凡無味なタダゴトが、いつも私を心ちよい夢の恍惚にさそうまで、特殊な俳味的の芸術心境を感じさせた。この体験から、私は子規の歌がわかり、自然派小説がわかり、その他いろいろな事が解って来た。

部屋から出られない苦しみ

［日本ＳＦ小説］

フランケンシュタインの方程式

梶尾真治

〝一人分の酸素しかないのに
二人の人間が虎馬号に乗っている。
どうしてこんなことになったのだ。
どうしてわしは、こんな船に乗ったのだ〟

ひきこもって、絶対に外に出ることのできない状況。その究極は、宇宙船の中ではないでしょうか。外に出れば命はありません。

そういう状況で、宇宙船の中にいても命が危なくなってしまったら、どうすれば？

命がけのドタバタがくり広げられ、大笑いしながらも、ぞっとさせられます。

部屋の中だけでなんとか物事を解決しようと、必死であがくのは、ひきこもり生活ではよくあることで、身につまされます……。

梶尾真治

（かじお・しんじ）

1947－　SF作家。熊本県生まれ。中学生の時からＳＦ同人誌『宇宙塵』の会員となり、1971年『美亜へ贈る真珠』が『ＳＦマガジン』に転載されてプロデビュー。代表作は『地球はプレイン・ヨーグルト』（星雲賞受賞）、『未踏惑星キー・ラーゴ』（熊日文学賞受賞）、『サラマンダー殲滅』（日本SF大賞受賞）など。2003年に『黄泉がえり』が映画化され、原作、映画ともに大ヒット。『クロノス・ジョウンターの伝説』所収の短編も映画化、舞台化される。

宇宙船事故の九十パーセント以上は惑星の引力圏内で発生するそうだ。だから、地球の引力圏を脱出し、慣性宙航に切換えてからすでに旅程日数の半ばに達した俺達が、気分的にゆるみ始めていたのも仕方がないと言える。

そのうえ、宙航中に俺達がやる仕事といっても、別にたいしたことは何もないわけで、俺とモリ船長は六十日以上もこの船内でぼけっとしていても、自動操縦装置が万事うまくやってくれるはずだ。自動的に軌道修正を定期的におこなって金星の引力圏まで導いてくれる。それじゃ、俺達が乗ってる必然性はないじゃないかというと、そうではなく、着陸操作（ランディング・コントロール）は、俺達が直接おこなわなければならない。

この極紘宙商（きょっこうちゅうしょう）㈱の宇宙船虎馬号は、地球から金星ヴィーナス・ポリスへ資材を定期的に運ぶ物資運搬船だ。医療機やら、薬品やら、書物やらを運ぶわけで、偉い人を誰一人乗せているわけでもない。まさに気楽な旅なのだ。だから、一度、慣性自動宙航に入ってしまえばしめたもの、後はいかにして船内の時間を費すかということが大問題なのだ。だけど心配は無用。俺と船長はこれからオイチョカブをやったり、ブルー・フィルムを観たり、焼酎を飲んだりのドンチャン騒ぎというハード・スケジュールが用意されている。

だが、そのまえに、ちょいとやっておかなくっちゃならないことがある。第三回目の酸素ボンベの切換えだ。以前なら冷凍コイルで陽の当らぬ方角に液体窒素を循環させていたのだが、ちょっとした破砕で船内のすべての酸素が船外へ放出されてしまう危険性が指摘され、危険分散のため現在では少々面倒ではあるが複数の酸素ボンベを何度も切換えて船内のコイルに注入するシステムがとられている。

俺は慣れた動作で鼻歌まじりにボンベ接続ボタンを操作した。

そこで、俺は異常を発見したのだ。

「船長。ボンベから酸素がコイルに注入されませんが」

チェック灯がけたたましく点滅を続けていた。船長に状況報告を求められる前に、俺はすべての計器に急いで目を走らせていた。

計器はボンベの内容物の異常を俺達に知らせていた。

「驚かすなよ。ジグソーパズルがばらばらになっちまったじゃないか」

モリ船長は葉巻をくゆらせながら、空間に飛び散った立体ジグソーを慌てて掻き集めていた。

「酸素ボンベの重量が異常なんです。不良品らしいのですよ」

酸素が抜け出ているのではなかった。比重が違うのだ。とするとボンベの中身は酸素ではない。何か別のものだ。

俺はボンベ室のモニターカメラをONに入れた。映像では何の変哲もない酸素ボンベ群が写っただけだった。

「変だなあ」

俺は、たった今切換えた異常ボンベにカメラを向け、アップで映像を広げてみた。

外見は変哲のないボンベだが、そこには白ペンキでこう書かれていた。

豆乃華特上味噌／宇宙空間輸送用パック

——何、味噌だって、……。あの、毎朝食べる味噌汁の味噌のことか……。

あまりのことに俺は絶句してしまった。ボンベ室の酸素ボンベにまじってこともあろうに味噌樽が鎮座しているのだ。

「船長、呆れるじゃありませんか。誰か、味噌樽を酸素ボンベと間違えて積みこんだ奴がいます。きっと、整備のオーヤマだ。あいつ点検時に宿酔いだとぼやいてましたから。……あの野郎、地球へ還ったら……」

ところが、意外なことにモリ船長は照れたような薄笑いを浮かべ、左手で葉巻をもてあそんでいた。モリ船長は左利きなのだ。

「いやナワ君。それは間違いじゃないんだ。実はわしが積みこませた。職務上の役得というやつでな。家内から金星の親戚に味噌漬用の味噌を届けて欲しいと頼まれてな。スペースがなかったんで、ボンベ室に押しこませておいたのだ。大丈夫、酸素は余分に用意してある。金星までの必要量は二人でボンベ五本だろう。だから、所定積載の七本のうち、一本が味噌樽でも、あと一本は余分なスペアボンベというわけだ」

げっ。モリ船長は俺の業務日誌を斜め読みしていたに違いない。実はボンベ室に修復必要な腐蝕個所があり、そこにはあまり荷重をかけられないのだ。なにせ、この虎馬号は、滞宙時間は十万時間を優に越している。地球滞在中に修復が必要だったのだが、そんな時間の余裕は残されていなかった。極紘宙商㈱は稼動率最優先の経営方針なのだ。だから、業務日誌で船長には一応報告しておいたのだが、万が一のことを考えて、ぎりぎりボンベ五本しか積載しなかったのだ。この稟議は、俺の業務日誌に船長自身からちゃあんと了承のサインを貰っていた。つまり、俺は二本分のボンベスペースをはなからあけておいたのだ。酸素ボンベに余裕はなかった。その虎の子の一本がこともあろうに〈味噌樽〉と入替っているというのだ。事の重大さに俺の心臓は急速に縮み上り、動悸が銅鑼のような音で打ち始めた。

「しかし、しかし、……あの味噌樽は……」

「ああ、味噌漬用じゃなくって特上の味噌汁用だというんだろ。家内も買い物が下手でなあ、すぐ商売人に騙される。しかし、ほんまもんの品なら汎用に使えるからなあ。その点はわしも心配しとらんよ」

事態をのみこんでいない船長はにべもない返事だ。

俺は大車輪で暗算を開始した。

「七本のボンベに二本少なめに積みこんで五本のボンベ。そのうちの一本が味噌樽。つまり、使えるボンベは四本。金星到着までわれわれ二人が必要とする酸素量は五本。つまり、必要在庫に対する実在庫はマイナス一本」

とりあえずコンピュータを使って検算すると、俺の暗算に間違いないという証明が吐きだされてきた。こうなると結論は一つしかない。早い話が金星到着前に船内の酸素が欠乏してしまうのだ。

俺は業務日誌のその部分（もちろん、モリ船長の承認サイン付きの）を黙って船長に差し出した。案の定、船長は眼球を飛び出させんばかりの顔となった。

「おい。嘘だろう。こういう冗談は悪質だぞ。謝りたまえ。さもないと今度の宙航における人事考課報告は不利なものになるぞ」

船長はジグソーパズルの乗った机を発作的に左手でどんと叩くと、折角のそろいかけのパズルを再び飛び散らせてしまった。

「ジョークではありません。船長御自身のサインを見ていただければおわかりのとおり、これが現実なのです。……しかし、船長はてっきりご存知のこととばかり思っておりまして……」

俺はそれ以上喋るのを止め、おたがいにじっと顔を見合わせた。言葉がなかなかでようとしなかった。言えば口にしたくないことを言ってしまうのだ。

しばらくの沈黙が続き、船長はやっと口を開いた。

「つまり、この宇宙船には二人分の酸素はないということだな」

「そのとおりです」

「一人分の酸素しかこの船にはないということだな」

モリ船長はうろたえたようすで、くどくどと喋り始めた。喋り続けるうちに、次に俺に対して指示する言葉が見つかるかもしれないといった喋り方だった。

「一人分の酸素しかないのに二人の人間が虎馬号に乗っている。どうしてこんなことになったのだ。どうしてわしは、こんな船に乗ったのだ」

「いえ、すでに道程の半分以上を通過しています。残りは二本のボンベですが、必要量は三本ですから、つまり一人の呼吸必要量を一・五本としますと、一人と三分の一人分の酸素が確保されています。だから、正確には一人分の酸素ではありません。……これだけは認識しておいていただきたいのですが、あと二十日の間に何らかの結論を出さねば、二人とも金星到着前に窒息死してしまいます」

モリ船長は激しくチックを起し始めた。

「何らかの結論とは、二人のうち一人が呼吸をやめるということかね。暗に一人が死亡すれば、一人は助かるということを指しているのかね。ナワ君」

そう言い放って初めて気づいたのか、船長はくわえていた葉巻をあわててもみ消した。

「船長、死ぬなんぞという表現は使わないでください。気が滅入って悲しくなってくるではありませんか」

「真実だ。真実をみつめろ。わし達のうち一人が死ねば、一人が助かる。一人の犠牲で一人が生き延びることができる。これが現実だ。一人が死ぬのだ」

モリ船長は〝死〟という言葉を喚くたびに自己の精神的優位性を確認できる気分になるらしく、徐々に狂躁的な表情に変化してきた。このままだと、船長の興奮は際限もなくエスカレートしていくだろう。

「何か……何か方法があるはずです。どんなアイディアでも出しあって冷静に検討してみましょう。希望を捨てるのはその後にして」

俺の言葉に、モリ船長は一瞬我に返り、冷静沈着さを装おうとしたが、頬の痙攣と指先の震えは隠すべくもなかった。船長は顔を伏せたまま言った。

「君の言うとおりだ。われわれの置かれた状況を客観的に検討し、二人とも助かることのできる可能性を探ってみよう」

船長の言葉は心なしか迫力がなかった。少なくともそこには、剛胆な宇宙の男のイメージは微塵もなかったのだ。

「それでは、酸素を確保するためのアイディアを思いついた順に列挙してみます。まず最初に、飲料水を分解する方法。しかし、これは、金星までの必要量には程遠い。二番目に植物に光合成をやらせるという方法。この宇宙船にはそんなものは積んでない。したがって駄目。船外作業用の携帯非常ボンベの利用。このボンベは十時間分しかありません。これは最後まで使用をさし控えるべきだと思うのですが……」

「他に、何かアイディアはないのか。何か発明して酸素を確保するってことできないのか。味噌を酸素に変えるとか」

「不可能です。今から超発明をするにも、タイムリミット内に完成できるかどうか。われわれは宇宙ヒーローではありませんからね」

馬鹿の考え休むに似たりという諺は俺達のためにあるような気がしてきた。焦りのため良いアイディアなぞ、なかなか浮かんでくるものではない。ともすれば、絶望のために思考停止の状態に陥ってしまい、自然と言葉も少なになってきた。

一人が冷凍人間になれば酸素が節約できるのだが、あいにくそのような設備はついてない。俺は、最近読んだファクシミリの記事の一つを思い出した。そうだ、これはいけるかも。

「船長はクローン人間ってご存知ですか」

モリ船長は首を横に振った。

「ギリシャ語で〝小枝〟って意味らしいんですが、単細胞核による生殖で生まれた人間のことをクローン人間というんです。最近は、技術も進歩したらしく、生殖細胞だけでなく機能分化した細胞からもクローン人間が創造れるらしいのです。つまり、身体の各部の細胞から……」

「それがどうした」

「そのクローン人間というのは、細胞のもととなった人間と寸分違わない……複製となるのです。例えば、モリ船長の指先の細胞を切り取って培養液に生かしたまま金星に連れて行くとします。そうすれば、金星でその細胞を使って船長そっくりの複製も作ることができるわけです」

「なぜ、そんなことをする」

「つまり、金星でクローンのモリ船長ができ上れば、船長は二人も要らないではありませんか。いえ、心配されることはありません。寸分違わぬ船長ができ上りますから」

「つまり、こういうことかね。金星に着いたらわしの複製を作ってやるから、わしに宇宙船から出て行けと……」

あっ、しまった。一言多かったなと思いつつ、またもや口を滑らせてしまった。

「しかし、船長自身の細胞から培養するのですから、それは船長に間違いないのですよ。モリ船長大復活というわけです」

船長はにこりと笑ったが、その笑いはこわばったものだった。

「で、わしの指からできた複製人間が、わし自身である保証はあるのか。わしの持っている種々の過去の記憶を、そいつも同じように持っているのか」

そこまで深く突っこまれても、専門家じゃあるまいし答えようがない。

「さあ。なにせ、私はクローン人間になったことがありませんので、そこまではわかりません」

俺のやや無責任な返事にモリ船長は烈火の如く怒ってしまった。

「わしは、船長だ。船は絶対に捨てん。虎馬号の壊滅する日がわしの命日になるのだ。わしは、たとえ宇宙が熱死を迎えようと絶対に君の愚かな提案に従って船を降りたりはせんぞ。……ナワ君。君こそ何か決断せねばならぬことがあるのではないか。わしは君のことを私的にも公的にもかなり面倒を見てきたつもりだった。昇給のペースも早かったのじゃないか。君は気がつかなかったかもしれないが、これでも勤務評価には気を使ってきたつもりだ。そろそろ、その恩に酬(むく)いる時期じゃないのかね」

これが上司たる者の言葉だろうか。売り言葉に買い言葉だ。そこでつい俺も感情的な発言をする結果となってしまった。

「それは私に船を降りよという事ですか。わかりました。しかしモリ船長、お言葉を返すようですが、私が下船したとしても金星ランディングの際にはお一人で大丈夫ですか。有視界着陸の際の操縦には自信はおありですか。高所恐怖症の船長殿はスクリーン一杯の金星の地表を見られたら、親指をくわえ両手でひざ小僧を抱いて放心状態になられるでしょう。それでも、無事着陸できる自信をお持ちだというのですか」

嘘のようだが、モリ船長に限っては本当のことなのだ。よくも宙航士の職につけたものだと、同僚の間では極紘宙商七不思議の一つとして酒の肴の話題に重宝されていた。だが、面と向ってこれだけずばりと言われたのはモリ船長としても初めてだったのだろう。船長は黙したままだったのだ。さすがに言い過ぎた気がして、あわてて付け加えた。

「地球本社へ一応状況を報告して知恵を借りることも必要だと思いますが」

船長は発作的に頷き、交信パネルに駆けよりスイッチを入れた。それから思い直したようにスイッチを切り、俺に向きなおった。

「そうだ。ナワ君。君の言うとおり報告は必要だ。知恵を借りることもいい。だが報告する前にわしの立場も理解してくれ。わしが味噌を積みこんでこの事態を招いたなぞと言えるか。言えん。言えん。そこで頼みだ。あの味噌樽は、なぜか知らんが、ボンベに混載されていたということにしてくれ」

やや呆(あき)れながら俺が頷くと、モリ船長はにやりと笑い、絶対喋るなよともう一度念を押して再び交信スイッチに手を伸ばした。

画像に極紘宙商本社の薄汚れた交信室が現れた。交信担当のマツシマのしょぼくれ顔と、その横に見かけない顔があった。

「こちら虎馬号の船長のモリだ。非常事態が発生した」

手際よく状況を報告する船長にさすがに感心してしまった。ただ、味噌樽のくだりで、なぜ混載されていたかについては、同業他社の陰謀であり地球へ帰還したら徹底的に真実を究明するのだと息巻いていたのには閉口した。

「……というわけだ。何か良い方法はないだろうか。社長はいないのか」

数秒のタイムラグの後、情けない声でマツシマが言った。

「極紘宙商㈱は、一昨日不渡りを出したんだ。事実上の倒産さ。社長は昨日の朝から倒れて寝こんでいる。隣りにいるのは債権者委員の一人ワタナベ氏。虎馬号も債権者委員会の管理下に入っている。差し押えられているんだ。ワタナベさん、非常事態らしいんですが、どうしましょう」

ワタナベと呼ばれた色白の酷薄そうな男はニベもない口調で言った。

「これ以上、極紘宙商㈱に費用をつぎこむのは我々債権者にすれば泥棒に追い銭です。自分達でなんとかしなさい。ただし、虎馬号は現在では委員会の保全する資産の一部ですから、絶対に無傷で保持すること。もしもの場合、評価額が半減しますから、注意してくださいよ」

マツシマが絶望的な口調でワタナベ氏に付け加えた。

「宇宙船事故保険も、ここ数カ月滞納していて無効になっているそうだ。お悔み申し上げるよ」

カッとなり俺は交信を切った。つまり、俺達のいずれが死亡しても、社としてはどうでも良い出来事に過ぎないのだ。金星へ着いたら、この虎馬号も競売にかけられるだろう。間を待たず、地球からのコールサインが鳴った。渋々、交信スイッチを入れると、先程とはうって変ったなごやかな雰囲気だ。マッシマとワタナベ氏の他に、債権者らしい数人の男たちも、顔をほころばせながら画像に写っていた。

「おい、喜べ。いいアイディアが出されたぞ」

俺は思わず、目を輝かせた。マッシマが神様みたいに見えたものだ。だが、その後を聞いてガックリしてしまった。やはり糠喜びにすぎなかったのだ。

「極紘宙商㈱が再生できるチャンスだ。

さっきの交信途中から、こちらなりに、いろいろと手を回してみたのだが、虎馬号の航宙地点に救助を出すのは、金星からも地球からも時間的に無駄だという結論が出された。だから、虎馬号救助作戦は行なわれない。それで債権者委員の一人が気がついたらしいのだ。これは『冷たい方程式』の最初のケースじゃないかってね」

「冷たい方程式だって」

「ああ、古典ＳＦの一つに、これにそっくりな話があるんだ。重量オーヴァーの宇宙船から一人分の重量を減らすために、密航者を船外へ投棄する話が……。外は絶対真空の大宇宙。極限状況に置かれた乗務員。似ているだろう。虎馬号の乗務員がこの状況で如何なる反応を示すのか……立派なドキュメンタリイ・ノンフィクションができあがるそうだ。債権者委員の一人が出版社にコネクションがあって打診してもらったらベストセラー間違いなしだそうだ。ベテランのルポライターも派遣してくれるそうだし」

そこでマッシマは脇の男から紙片を受けとり目を走らせた。

「おい、すごいぜ。出版社の連絡によると映画化まで決定したらしい。この分なら極紘宙商㈱は負債返済とまではいかなくとも、会社更生法の適用くらいは受けることができるぞ。あんたらは救いの神というところだ」

「で、冷たい方程式の伝でいけば、必ず一人は犠牲者がでるのか」

「さっきも話したとおりだが、この話はいろんなヴァリエーションを産んでいるんだ。だが残念なことにすべて悲劇的な結末でね。『解けない方程式』では乗務員の両手両足を切り取ってしまう。『たぬきの方程式』では積荷のたぬきに食われてしまい、『破砕の限界』では、乗組員の一人がもう一人を毒殺してしまう」

マッシマは無神経を絵にしたような男だ。振り向かなくても船長が泣き出しそうな顔になっているのがわかっていた。それにひきかえ、映像のマッシマは今にも踊り出さんばかりに浮かれきって饒舌になっていたのだ。

「それからな。もし映画化されるのであれば、債権者委員の一人が今度発売する卓上四次元ゲームを『虎馬号ゲーム』と名付けたいそうだ。このぶんだと、商標登録の必要もでてくるな」

画像コンソールをスパナでぶっ壊そうかと思った時だ。マツシマは彼の無神経さでトドメを刺した。

「そうだなあ。あんた達が置かれた状況はクラークの書いた『破砕の限界』に本当に似ているな。もっとも、その結末で一人は生き残るんだが、それからの人生は世の中から白い眼で見られ、後悔のうちに生きていくことになるんだ。死んでも地獄、生存しても地獄だな」

交信を止めたのはモリ船長だった。まったく地球の極紘宙商㈱の指示に希望の一片も見いだすことができなかったのだ。船長が交信を止めなくても、俺が止めていただろう。

残された手段としては、積荷リストを再チェックして危機を脱するために利用できるものがないか探さなければならない。

この宇宙船には医療機械の類が主に載せられている。最悪の場合はサイボーグ化する必要がでてくるかもしれない。しかし、いくらサイボーグ化したとしても、生体部分に酸素の供給はある程度必要となるだろう。でも節約になることは確かだ。ふとそう思った時、俺の頭に邪悪な考えが走った。船長に睡眠薬を飲ませ、脳だけを機械に摘出させて培養液漬けにしたうえ金星に連れていこうという考えだ。ただし、サイボーグとして復活した船長が、俺に殺意を抱いてブリキの身体をガシャガシャ鳴らせつつ追いかけてくる図を想像してこのアイディアはキャンセルにした。

残念なことにサイボーグ化用の手術装置は積まれていなかった。一台の大きな医療用の装置は二つの手術台を持ったコンピュータ内蔵の臓器移植用執刀機械だった。

突然、モリ船長は表情を輝かせて言った。

「グッド・アイディアだ。ナワ君、確か君の血液型は0型だったっけ」

「はあ。そうであります」

「わしも0型だ。それに、君は右利きだったよな」

「はあ」

「わしは左利きだ。わし達は身長も同じ位だしな」

「しかしながら、船長のほうがやや肥満体だと思えますが」

「だまれ。わしの考えを聞け」

船長はそう言いつつ、なめるように俺の全身を見回した。船長は俺に劣らぬ邪悪な考えを思いついたに違いない。眼つきでわかるのだ。

「こういう案はどうだ。君のさっき話したクローン人間の話がヒットになったのだがね……そうだ、これでいこう」

　一人でモリ船長は得心している。

「脳神経の専門家と酒を飲んだ時聞いた話なのだが、人間の大脳は左右二つの半球に分れているんだそうな。で、人間は大脳をフルに使用するわけではなく、左利きの人は右半分を頻繁に使用し、右利きではその逆ということだ。これを優位半球というわけで、左右の半球は、運動系を除けば全く同じだそうだ。だから……言語や記憶の中枢は左利きであれば脳の右半球だけあればさしあたりこと足りるということになる」

「まさか船長。まさかまさかまさか」

「そうだ。そうなのだよナワ君。わしと君の身体を唐竹割りにして優位半球の脳の半身ずつをくっつけるのだ。そうすれば、酸素は一人分しか要らない。……わしと君とで一人になるのだ」

「あは。あは。あは。そ、そのジョークは、ひ、ひ、非常におもしろいですね。あ、あ、あは。……あは」

「これが冗談を言っている者の眼に見えるかね」

「見えません。き、狂人の眼です」

「手術に必要な執刀機械も輸血に必要な分画製剤もそろっている。あっ、おたがい、細胞活性剤を飲んでおこう。手術の縫合後、数時間すればくっついてしまう。拒否反応抑制剤を飲んでおくことも忘れずにな」

「そんなことできるわけがない。下手すれば二人とも死んでしまいますよ。死なないまでも半身不随に……」

「どうせ、おたがい半身になるのだ。何もやらなければ犬死にしてしまう。そのくらいのリスクは必要じゃないか。医学は進んでいるのだ。君の言ってたように金星へ着いたら再手術を受けてクローン再生してもらおう」

モリ船長ときたらまったくとんでもないことを思いついたものだ。呆れてしまって反論もできない。船長は俺と文字どおり一心同体になろうというのだ。

「薬を飲んで、手術台に上るんだ。これは船長命令だ。試してみなくてはわからない。なあに、ちっとも痛くなんかないんだよ。こわくなんかないんだよ。さあ、おいで。二人で手術台に上ろう」

「急にそうおっしゃっても」

「ふふふ……。そう言うと思ったよ」

船長はにやにや笑いの狂信者の瞳のまま、近寄ってきた。

「これは二人が助かることのできる唯一の方法なのだ。薬はあとから注射してやろう」

次の瞬間、突然モリ船長は俺に飛びかかり、いつのまに忍ばせたのか、左手で鼻頭に甘酸っぱい白いものを押しあてた。

ゆっくりと視野がぼやけ始め、俺は正体もなく気を失……

……ったのかなと思ったら目が醒めた。

何が俺の身体に起ったのだろう。身体の内側から灸（きゅう）でもすえられてるみたいにかっかかっか火照（ほて）っている感じだ。ここはどこだ。……誰もいない宇宙船虎馬号。船長はどこにいる、と見廻して思い出した。そうだ、俺はモリ船長に無理矢理合体させられたのだ。生存に必要な酸素の欠損分を補うために……。

裸体のまま手術台の上にいることに気がついた。床には数滴の血が飛び散っていたが、手術台は自動清掃装置が働いたらしく、手術が施された形跡は何一つ残っていなかった。ゆっくりと顔を動かして自分の身体を見下すと、右半身と左半身の継ぎ目の細いケロイド状の線が眼に入った。俺自身の肉体が左半身に、そして、あの中年のモリ船長のぶよぶよしたおぞましい肉体が右半身に継ぎ目を境としてくっついているのだ。

まるで悪夢だ。やはり手術は行われたのだ。

本能的に俺は手術台の歪曲した金属面に顔を向けた。やはりそこには俺がもっとも見たくないものが写っていた。左半分が俺、右半分がモリ船長という怪奇映画そこのけのグロテスクな顔だ。

俺は錯乱して思わず声をあげそうになったが、口をついてでてきた言葉は、何ということか意志に反したものだった。

「うまく成功したようだな。ナワ君」

金属面に写った左半分の俺の唇の部分が妙によじれて喋っていた。その口調はモリ船長のそれに他ならなかった。

「モ、モリ船長」

眼玉をむいて仰天したのは俺の顔ではなく、右半身のモリ船長の顔だった。俺の思考がモリ船長であった部分の肉体に反応しているのだ。

「おたがい無事だったことは欣喜にたえぬ。この手術の成功は今後の医学にも大変な症例として残るやもしれぬぞ」

俺の声でない声が言った。ああ、何という事になってしまったのだろう。これでは恥ずかしくて人前に出られたものではない。それだけじゃない。婚約者のナオコがこの姿を見たら何と言うだろう。破談だ。発狂するかもしれない。

その時、極紘宙商㈱から再交信要請の信号がせきたてるように鳴り響いた。

「船長どうします」

「どうするといって、交信要請信号を送っているのだから出ないわけにはいかん」

「しかし、この姿ですよ。突然こんな恰好で画像に写し出されたら、あちらではぶったまげてしまいますよ」

「それもそうだ」

とりあえず音声通信だけにしておくのが無難だろうと意見がまとまった。

「おおい虎馬号。二人とも元気か」

マツシマの軽薄な声がエコーした。

「ああ、今のところはな」

「そりゃよかった。十日もそちらと交信が絶えてたんで心配したんだぜ」

……あれから十日以上も経ったというわけか。

「何の用事だ。俺達が苦悩しているのをビデオにでもとるつもりなのか」

「それもあるが……」

「何だと」

「いや……失言。失言。ところで話し合いはついたのか。どちらが船に残ることになったんだ。他に助かる道はないんだろ。船を棄てて同胞を救おうという英雄はどちらだ。どちらに決ったのだ」

「いや、生憎だが、何とか二人とも助かる方法をみつけたよ」

マイクの向こうで、債権者委員と思える数人の舌打ちの音が響いた。かなり慌てたようすのマツシマの声が続く。

「お、おい。そ、そりゃあ困る。……いや理屈にあわない。どうやって一人分の酸素で二人が生存できるというんだ」

「今の段階で、方法は言えない」

「なぜ、画像をこちらに送らないんだ」

「別に。画像を送る必然性がないからさ」

地球では、その不自然さに気づいたらしく、――やはり、一人は殺害されてますな。船内はきっと血みどろなのですよ――何か、やましいことのある証拠ですよ。面白い展開になりそうですワ――とか好き勝手なことを話している。

「しかし、例の事故報告以来、あんた達の身を心配してここへ詰めている方々がいらっしゃる。その方々をマイクに出すからな」

意地悪そうな口調でマツシマが言った。直観的に、悪いことだなと感じとっていたら案の定だ。

「あなた。あなた。大丈夫なの」

あ、あ、あ、フィアンセのナオコだ。手を廻して家族を呼び集めたのだろう。ひょっとすると、ナオコの後方でフィルムが回されているのかもしれない。悲劇の対面。ドキュメンタリイの一つのヤマ場として構成するつもりだろう。ナオコのヒステリックな呼びかけが続いた。

「ねえ。なぜ、画像を入れないの。私こんなに心配しているのに。何かあったんじゃなくて。モリ船長さんは御無事なの」

「ああ、二人とも元気だ。心配する必要はないよ。ナオコ」

俺は彼女を精一杯、元気づけるつもりで言ったのだ。それが藪蛇となってしまった。

「どうしたのあなた。声が変よ。姿を見せて。私にはわかるわ。何だか変よ」

一瞬、答に窮してしまった。やはり、姿を見せてやらねばナオコは安心してくれそうもないのだ。彼女にすれば無理もない要求に違いない。

「ああ、見せてやろうじゃないか。医学の奇蹟の成果をな」

と、無責任に船長は言った。しかし、いきなりナオコにこの変り果てた姿を見せるわけにもいかない。結果は眼にみえている。

「おまえさん。大丈夫かい」

今度は、中年女の野太い声が響いた。モリ船長の奥さんだった。顔の左半分が発作的に痙攣をおこした。船長の脳が俺の筋肉に反応を起させているのだ。船長はもっとも聞きたくない声を聞いたに違いない。

「う、うちの婆アだ」

声が恐怖に震えていた。

「おまえさんも大丈夫なんだね。しかし、何だか声が違うじゃないか。さっきのナワさんの声と……そうだよ。まるで同じじゃないか。まさか、あんたナワさんを手にかけたりして……そんなことをするの人非人だよ。エエ」

どうしても地球へ画像を送らねば済まないようなあんばいだ。

「画像を送って納得させるしか手はないようですね。何かショックを与えないで納得させる方法はないものでしょうか」

船長も俺の意見に同調した。

「そうだ。彼女達にショックを与えなければいいわけで、だとすればこの方法で画像を送るしかない」

船長発案の〝この方法〟でまず俺とナオコが話すことにした。俺は身体の左半分がカメラに収まるように、横向きにコンソールの前に坐り、スイッチを入れた。

俺はけだるそうに声をかけた。横向きである不自然さを演技でカバーしなければならないのだ。女性禁断の職場に勤務する、宇宙の男のニヒルさを表現するのが効果的かもしれない。

「ナオコ。元気か」

「あなた。大丈夫だったのね」

横眼でちらとうかがうと彼女は泣いていた。俺も泣きたい。だが、今の俺は明日をもしれぬニヒルで親不孝な航宙士さんなのだ。

「安心したら家へ帰れ。今は勤務中だ」

「あなた。なぜ、私の顔を見てくれないの。横を向きっぱなしで……何か私に怒ってるの」

「そんなことはない。これまでナオコと宇宙空間から話をしたことがなかったが、これは宙航中の俺の……ただのクセってものだ。ナオコと話しながらも、たえず、他の計器類に注意を払っておかねばならない。アストロノーツの悲しい性なのだよ」

俺がそこで顔を伏せてみるとナオコは感極まってワワッと泣きだした。右眼の付けまつげがはずれて頬にくっついていたが、彼女の魅力はいささかも損われなかった。

「あなた。生きて帰れるの」

「馬鹿なことをきくんじゃない。当り前じゃないか」

「でも酸素が一人分しかないって皆さん言ってたわ」

「なんとか解決したって言ったろう」

「船長はなぜ、画面に出られないの」

「ああ、今、ちょっとした作業をやっておられる」

そこへ赤鼻のごっつい中年女が割込んできた。銅鑼声で俺に向かって叫んだのだ。

「いつまで話しこんでんのさ。ウチのを出してよ」

船長のオカミさんだ。俺は椅子からずり落ちそうになりながら言った。

「はっ。ただいまよんで参ります」

ニヒルどころか、画面の死角へまるでアヒルみたいに飛びだし、クルリと体の向きを逆にした。そうすると、今度はカメラに対しては右半分のモリ船長の身体が写ることになる。

「ああ、ああ。ナワ君。気を使ってもらってうれしいよ。もっとナオコさんと話して安心させてあげればよかったのに」

画面外の俺に話してる……という演技で後ずさりしながら再び席に着くというところなど、なかなかこまかいのだ。すごい剣幕だった船長のオカミさんもほっと胸を撫でおろしたらしい。

「おまえさん。安心したよ。ところで頼んどいた味噌のほうも大丈夫だろうね」

「味噌？　何のことだ。我々の家庭内の問題なら、また帰ってからゆっくり話し合いの機会を持つ事が大事だろうな。安心したのなら、家へ戻りなさい」

船長は一生懸命とぼけている。だが、オカミさんにしてみればその態度が鼻もちならなかったらしい。

「何だい、その言いぐさは。私から顔をそむけて……ははあん。何か心に疚しいことでもあるんだろ。それで、私の眼が見れないんだ。図星だろ」

「そっ、それは誤解だ」

「じゃあ、こちらをちゃんと向いたらどうだい」

「し、しかし、わしと結婚する時、おまえは、わしの横顔に魅かれたと言ってたろう。たしか、ハンフリー・ボガートに似ているという表現さえ使っていたじゃないか」

「あんた！　何、寝とぼけてんのさ！」

オカミさんの罵声に、船長は本能的に席から三十センチも飛び上った。船長はカメラから逃れ出ると同時にくるりと踵をかえし、俺の半身をカメラに向けてしまった。仕方なく、「まあ、まあ」となだめつつ再びカメラに向う。地球では、興奮した船長のオカミさんが、俺の太股ほどもある腕をまくり、拳をこちらに向けてつきだしていた。その時、初めて船長に同情を感じてしまったのだ。

「あんた、ウチの部下のナワさんだね。もう一度、ウチのを出してよ。あの愚図に言ってきかせることがあるんだから」

「しかし、まだ船内にはやらねばならぬ作業が残っています。一応安全になったといってもまだ非常事態中ですからね」

「まあ。でも、おかしいよ。いくら危険だといっても作業中だといっても、狭い船内なんだろう。画像には一人ずつしか写らない。不自然だよ」

オカミさんはそう言って拳で通信用のパネルをぐわんと叩いた。パネルの計器のいくつかが青白い閃光を放ちスパークした。オカミさんの太い腕に錨の刺青があるのに気がついたのはその時だ。もう通信を切る汐時のようだ。

「まだ、緊急処置を必要とする作業が残っていますので、一応通信を切らせていただきます。……それからマツシマ君へ。後ほど一段落したらわれわれの生存方法について具体的に相談しておきたいことがあるので、協力を頼む」

「オーライ」

マツシマは気をきかせて、地球側の通信スイッチを切ってくれた。ほっ。

こちらのスイッチを切ろうと手を伸ばすと、腕が変な方向へと動いてしまった。手術後初めて感じた変調だった。――スイッチを切れ――と腕に命令してやっとスイッチを切ることができた。小脳が素直に反応しなかったのかもしれない。

「さあ、今まで、手術で酸素を平常より余分に浪費している。そろそろボンベを切換えておくべきだ」

手術の副作用について考えこんでいた俺に船長が言った。もっともだ。

俺はボンベ切換えのため、振り向こうとした。……が、何ということだ、右足がついてこない。

「酸素ボンベ切換えのため、操縦席に坐ります」と声に出してみると、やっと左右の足が互いちがいにピョコピョコと動き始めた。だけど、何となくテンポがおかしいのだ。

ようやく席につき、接続操作を行おうとして、はたと気がついた。

接続操作に関する手順記憶がまるで欠如してしまっているのだ。

「どうしたんだナワ君。早く操作したまえ」

「はい。操作したいのはやまやまでありますが、何ということか、できないのです。どうもド忘れしたらしくて」

船長はさすがに覚えていたらしく、何とかボンベ接続作業を終了させることができた。

モリ船長のことだ。何度か生命に支障のない程度の試行錯誤をくり返した挙句であったことは言うまでもない。

それから、心配を押し隠しながら、船長は気色が悪くなるほど優しい声音で訊ねた。

「ねえ、ナワ君、まさか、ランディング操作のほうは忘れていないだろうね」

アッと声をあげてしまった。虎馬号の着陸操作も基礎から全部きれーいさっぱり忘れてしまっていたのだ。それを口にしなくとも、船長に俺の思念が流れたのか、文字通り、モリ船長は心底驚いてしまったようだ。

「それではナワ君、操縦記憶を完全に喪失してしまったのか。君は、わしがランディング操作がぜんぜんできんことを知っとるだろうが。それではわし達はどうやって金星へ着陸すればいいんだ」

俺の頭にテレビのブラウン管がイメージとして浮かび上った。虎馬号の遠景が映り、ナレーターが悲壮な声で叫んでいた。

——虎馬号、金星激突まであと十五日。がんばれ虎馬号。

左右の脳の働きがぴったりと息が合ったらしく、両腕で頭を抱えこんだ。このままでは、酸素が充分あったにしても何の意味もなさないのだ。

俺の思考に、何か他のものの思考が奔流のように押し寄せてきた。

〈ヘマ・ドジ・せっかく助かると思ったのに・殺してやりたい・助かる方法が失くなっ

た・死・それにしても・ナワのフィアンセは美人だった・わしのカアちゃんと大違い・わし好み・もし助かったらナワに紹介させようか・二号にしてもいい・もしカアちゃんに知れたら・死・このままでいたら・この身体のままでいたらナワとフィアンセを共有できる・うひひ・だから助かりたい・絶対生きのびる・ナワだけが頼り・思い出して欲しい・思い出さなかったら・やっぱり死〉モリ船長の思考に違いないのだ。

思考の最後の方で、船長のオカミさんのおぞましいヌードと、多分に美化したらしいナオコのヌードが俺の脳へ流れこんできた。この重大事になんと不謹慎な人だろう。

「モリ船長の思考が、私の脳の中へ入ってきますから、思考は必ず口にするようにしましょう」

俺は耐えられず、顔をあげて言った。

「ああ、うう。わしは望むところだ。だが、ナワ君も今わしを軽蔑したろう。豚の身体にわしの顔をくっつけたイメージを感じたぞ。しかし、わしは気にしない。心の広い人間だからな」

しかし、ここで愚にもつかぬ問答をくり返していたところでなんら解決に近づかないのだ。

その時、地球のマツシマからコールサインが鳴った。

「おおい。ナオコさんも船長夫人も帰ったぜ。相談したいことって何だあ」

交信パネルに駈け寄る俺達は必死の形相だ。

「い、医者を呼んでくれないか。大脳生理学か精神科でもかまわない。とにかく脳に関係ある医者を。俺達は虎馬号の操縦法を……ど忘れしちまったらしい」

「馬鹿馬鹿しい」

「とにかく、これは手術の副作用に違いないのだ。われわれが助かるための……」

画像送信用のスイッチを入れた。画像が通じた瞬間、マツシマやワタナベ氏を始めとする債権者一同はぎゃっと叫んで椅子から次々に驚愕の表情のままひっくり返った。

「ば、化け物」

「いや、これがモリ船長の提案した唯一の解決法だったのだ」

「無茶苦茶だ。ちょっと待て。すぐ医者を呼んでくる。まるで四流ＳＦだ。しかし、よう、あんた達生きとるなあ」

かなりモーロクした感じの白衣の爺さんが、マツシマに連れられてやってきた。

「マツザキ教授だ。生化学から精神科学まで広範な知識を持っておられる」

マツザキ教授は、俺達を見てもべつだん驚いた様子もなく、ぶつぶつとひどいナマリで喋りはじめた。

「……そりゃあ、右利きの人間なら、言語中枢は左側の優位半球にあるばってん、聴覚中枢は逆の方がよく感じるとよ。それに言語中枢の反対側は図形認識する部分が多かとよ。ばってん記憶領域は広がっとって右側とも左側とも言えんとよね。だけん、切り取った方に操縦記憶が残っとったのかもしれんねえ。ほんに、あんた達、とつけむないことするねえ。気違い沙汰よ。素人て怖かねえ。生きとるとが奇蹟よ。……そうね。仕方がなかね。ど忘れに過ぎんとか、記憶が深層にもハナからぜんぜん存在せんとか確かめてみんといかんねえ。マッシマさん。この装置ばカメラん方に向けてもらえんどか」

柄のついた懐中電燈としか形容できない奇妙な装置をこちらへ向けた。いったい何をやるんだ。教授が、装置に触れると規則的な明滅を発し始めた。

「ほら、だんだん眠うなりよる。瞼のだんだん重うなりよる。左の眼だけじゃのうて、ほら、右の眼も重うなってくるよ……」

マッザキ教授は単調に話しかける。ああ、俺達、今、催眠術にかけられてるんだなあと思いつつもだんだんと気が遠くなって……

……いくような気がすると思ったら急に頭がすっきりした。あっ。催眠術がとけたのだな。操縦法を思いだせたかな。

やはり、何も思い出してはいなかった。

地球からの送信画像を見やると、マツシマがうんざりした表情で交信パネルに頬杖をついていた。

「マツザキ教授は帰ったよ。残念ながら、あんた達の脳には宇宙船操縦に関する知識は一片も存在していないことがわかった。まさになす術も何もない。せっかく酸素欠乏の危機を乗り越えたというのに、結局、無意味な努力だったわけか。金星激突まで十五日間。酒でも飲んで十字を切るしか残された方法はないようだな」

マツシマの、例によって神経を逆なでするような言いぐさだ。

急に俺の左側の唇が激しくめくりあがって叫んだ。モリ船長だ。

「何を言うか。マツシマ。我々には会社の資産を死守する義務があるのだ。まだ時間は残されている。最後の一秒までわれわれは希望を捨てないぞ」

マツシマは、もう何を試みても無駄だというふうに首を横に振った。俺も同じ心境だ。しかし、モリ船長の生への執着たるやすごいもので、まだ主張を続けていた。

「忘れたのなら、覚えればよい。知識がないのなら持てばよい。虎馬号の設計技師を呼べ。われわれは今からこの宇宙船の操縦法を勉強する」

マツシマの後方でまばらな拍手が起った。債権者の連中だろう。

——素晴らしい宇宙船乗りの精神ですな。

——愛社精神のかたまりだ。航宙士の鏡というべきでしょうな。

——いやあ、単に最後のあがきにすぎませんよ。あきらめの悪いこと、おびただしい。

——どちらにしろ、映画には意外なヤマ場が設定できるのは非常に喜ばしい。彼らが操縦法を学習するシーンでは、バックミュージックにハード・ロックを使って緊迫感を盛りあげよう。

『虎馬号・愛のテーマ』だ。ええ、良いじゃないか。

マツシマは債権者にせきたてられるように渋々と部屋を出て、設計技師らしい男を連れてきた。

「航宙士養成学校のイワモト先生だ。ロケット機関(エンジン)から、磁渦機関に宇宙船の動力が変ってからというもの、初期の磁渦式宇宙船は殆(ほとん)どイワモト先生の設計だ。そういえば、君達も虎馬号がロケット式だったら酸素欠乏に深刻になることはなかったのにな。ま、できる限り習得してくれ」

マツシマが紹介した〝イワモト先生〟は、牛乳ビンの底のような度の強い眼鏡をかけた貧相な男だった。数十冊の本を抱えたその男は、深々と俺達にお辞儀をしたが、別に俺達の姿に驚いた様子も見せなかった。

「では、早速、講義に入らせていただきます。まず、宇宙船の歴史からまいりましょう。

現在でこそ、磁渦式宇宙船が全盛でありますが、以前の宇宙船は、燃料、装置一切を内蔵し、燃焼燃料を後部から排出して前進する噴射推進体、つまりロケット方式がほとんどでありました。このロケットは遠く紀元六百年代に中国で使用された〃飛龍〃を発祥とする説が最も有力であります。これは兵器として使用されたもので、原始的な……」

「そんな前口上はいいから、虎馬号の操縦法を早く教えてくださいよ」

あまりのジレッたさに一言申しあげたら、「喝！」とイワモト先生に大喝された。

「物事はすべて概論から入るを筋とします。これは私の教育理念でありまして、山に登るに際しても麓から徐々に登りつめてはじめて頂上を極めることができるのです。学問もこれと同じでありまして、王道なぞあるわけがございません」

そうイワモト先生はのたまい、牛乳ビンの底のような眼鏡をきらりと光らせた。マッシマがあわてて仲に入り、事情を説明してくれなかったら、延々あの調子で講義が続いたのではなかったろうか。

「まあ、まあ。先生、彼らはあと十五日間で操縦法をマスターできなければ、金星に激突して死んでしまうのです。誠に申し訳ありませんが、既成の操縦法……いや着陸操作だけでも教わることができれば結構なのです」

「それは、それは。そういうことは、早く言っていただかなくてはいけない。ただ今のは、五カ年修了教程の基礎コースから入りましたのでね。よろしい。『十日間であなたも乗れる!! 宇宙船、何でも早わかり即席コース』というとっておきでいきましょう」

イワモト先生はしかつめらしく、眼鏡のツルを押えながら言った。

それからの勤勉ぶりは眼を見張るものがあったように思える。なにしろ生命がかかっているから否が応でも真剣にならざるを得ない。まず、基礎磁渦工学から始まったのだが物理の初歩を忘れているとなると、その部分まで学習を逆行させねばならず、しかも、モリ船長と俺の二人が完全に知識として理解しておかねばならない。着陸の際、右手と左手で同時に操作をおこなわねばならぬ箇所もあるのだから。

イワモト先生に叱られながらも、七日間で曲りなりにもランディングの操作手順を理論の上では習得してしまっていた。だが、それはあくまで理論の上だけのことで、実際、操縦してみろと言われてもその自信は全くなかったのだ。

「これで教えるべきことはもうないのですが、最後に仕上げとして、実際の操縦機器を使って模擬着陸(シミュレーション・ランディング)をやってみましょう。これがうまくやれたら、あなた達は生存してヴィーナス・ポリスの土を踏めるという希望のパスポートを手に入れたことになりますな」

イワモト先生は例によって無感動にそう言った。だが、まったく彼の言うとおりだ。それにモリ船長には先天的な高所恐怖症という難関が控えている。

「それでは始めましょうか」

スクリーンいっぱいに金星の地表が写った。照準をヴィーナス・ポリスに合わせ微調整した。左の眼が何度もまばたきし、唇を歪めているのがわかった。船長が恐怖と闘っているのだ。この金星はあくまで模擬映像にすぎないとわかっていても、なんともすごい迫力なのだから。

「衛星軌道突入」

「逆磁渦操作開始」

俺達はいくつかの決められたボタンを順序に従って次々と押そうとした。小脳障害が残っているらしく、一段階毎の操作が、まるで夢の中の動きのようにもどかしかった。

ひょっとすると、これは夢の中のできごとではないのだろうか。そんな考えが何度も脳裏をよぎっていった。

「順調ですね」

イワモト先生の言葉に、俺は思わず溜息をついた。

「さあ、着陸指令段階ですぞ。B-7地区の着陸地点へ向けて降下してください」

その時、ひょいと気づくと何たることか、船長のまぶたはしっかと閉じられていた。

「船長、あなた自身の命です。今が正念場ですよ」

はっとした様子で、船長はようやく指を動かし始めた。

B－7の座標にホログラム立体映像の虎馬号の位置を合わせ、ランディングスイッチを入れる。後はB－7座標と映像のズレが起きないように注意すればよい。

突然、左手の親指が口の中へ入ってきた。船長の高所恐怖症における幼児退行現象だ。船長の思考が泣き喚きながら俺の思考の中へ押入ってきた。精神的形態崩壊だ。

〈だめだよう。だめだよう。ぼくちゃん、できないよう。ママ。ママ。どこへいったの。こわいよう。こわいよう〉

思い切って左の頬を精一杯ひっぱたいた。

「いいですか。モリ船長、これで間違えば二人ともあの世行きなのですよ。八割がた、操作は成功しているんです。努力をしてください。生きるための努力を」

船長は自己を取り戻したらしく、恐怖を克服しようと画像を凝視した。油汗が流れていくのがわかる。船長はその気になってくれたのだ。

シミュレーションの時間は短いものだったのだろうが、俺達にとっては永遠の時間にも等しかった。

ヴィーナス・ポリスの宇宙空港に着陸したとたん、映像は突然イワモト先生に切換った。

「ええ、あなた達は、完全に講義内容をマスターされましたな。無事、シミュレーションによる着陸には成功しております」

ヘナヘナと座席に崩れ落ちた。張りつめていた神経が緩んだのだ。

「おめでとう。あなた達の努力の賜物だぜ。まったく敬服するよ。さっそく、ヴィーナス・ポリスの方にクローン再生処理の準備をさせておく」

マッシマの激励で初めて俺は助かるんだという実感を味わった。ついにやったのだ。感動のあまり、船長の手（つまり左手）をぎゅうと握りしめた。船長も俺の手を力一杯握り返してくれた。汗ばんだ感触から、俺には船長の今までの緊張ぶりがよくわかったのだ。

「ナワ君、確かに、生存への鍵を手に入れたことは嬉しい。だが、今回の航宙ではそれ以上に大事なものを手に入れたような気がするよ。それは君が与えてくれたものだ。……わしは、自分自身の根源的な恐怖を克服できたのだから」

船長の言葉は心の底から思わず出た真情というものであったろう。俺は不覚にも感動していた。

「ありがとうございます」

地球のマッシマが映像の中で狂喜していた。

「やったなあ。遂にやったなあ」

入替り立ち替わり、債権者の男達が画面に現われ泣き出さんばかりにして祝辞を述べた。

彼らも一様に感動していたのだ。だが、残念ながら、シャンペンをあける音と拍手がこだまし、その言葉もよく聞きとれなかった。

再び、マッシマが画像に顔を出した。

「君達の名前は、人類航宙史の偉大なエピソードの一つとして永遠に残ることになるぞ。幾多の障害を乗り越えた君達はまさに銀河の英雄の名に値すると思うよ……」

そこでマッシマは口を閉じた。俺達は始めはマッシマの表情の変化に気がつかなかった。彼が言葉を切ったのは感動のあまりだと思ったのだ。だが、そうではなかった。彼は俺達のいる船内の一点を凝視し、驚愕の表情を浮かべたまま絶句していたのだ。

「確か、酸素はもう、ぎりぎり一人分しかない筈だったな。最後のボンベも切換えてしまったんだな」

マッシマが震え声で念を押すように言った。

「ああ、そうだ。しかし、それはもう、こうして解決してるじゃないか」

そう答えたが、画面の中にはいつの間にか債権者達が集まり、顔を寄せ合って、こちらを喰入るように凝視していた。ある者は油汗を流し、ある者は眼玉をむき出し、ある者は俺達を指さして何事かを囁きあっていた。

マッシマは絶望的に言った。

「後ろの計器を見てみろ。その船内酸素量じゃ、金星まで、たとえ一人でも辿り着くのは無理だ」

そんな馬鹿なことが……。だが、事実だった。計器は冷酷なほど正直なのだ。手術前と酸素消費量はぜんぜん変化していなかった。何か得体の知れぬ恐怖を感じて俺達は立ちすくんだ。地球の誰も、もはや話しかけようとはしなかった。

船内を緊張した静寂が支配していた。

「あれだ」

確かにその時、俺達以外の呼吸音を聞いたのだ。それは、手術台の中から、小さく、しかも規則的に響いていた。

俺達は手術台に近付き、恐る恐る臓器収納用のコンソールを開けた。

そこに俺は見たのだ。自動手術機械の成果を。そこには一人の男が横たわっていた。

——左半身が船長で、右半身が俺というグロテスクな人間。その人間は思考力も活動力もないようだったが、確実に呼吸だけは続けていた。

機械は無駄のない完璧な手術をやってのけたのだ。

少なくとも、その人間には俺達より優れることが一つはあるように見えた。

死への恐怖が欠如していたことだ。

やがて俺と船長の悲壮な馬鹿笑いが船内中に響き渡った。

ニートのつぶやき

［大正文学］

屋根裏の法学士

宇野浩二

〝何もかもが彼にはつまらなかった。
何もかも味気なく、
何を見ても、何を聞いても、
彼には、不快で、
時には腹立たしくさえなった。〟

世の中の多くの人が、何らかの職業について働いているが、むしろそのことのほうが、驚くべき奇跡とも言える。

やりたい仕事はやれず、やれる仕事はやりたくない。そういう人も少なくないはずだ。

それでも無理して、みんな頑張っているわけだが、そこで頑張れない人もいる。

そういう人は、ダメ人間と言われたりする。

しかし、立派な人間だけでなく、ダメ人間にもまた大いに魅力があるのではないだろうか。

宇野浩二

（うの・こうじ）

1891－1961　小説家・作家。福岡県生まれ。２歳のときに父が急死し、親戚を頼って転々とする。早稲田大学英文科に入学したが中退。極貧の生活に苦しむ。『蔵の中』『苦の世界』など、おかしみと哀感のある作品を独自の文体で発表し、文壇に認められる。精神に変調をきたして入院するが、復活後は写実的な作風に転じ、『枯木のある風景』『子の来歴』『うつりかはり』などを発表。児童文学も書き、大正期の代表的な童話作家の一人とされる。

法学士乙骨三作（おっこつさんさく）は、大学を出てからもう五年になるが、いまだに一定の職業をもたない。東京に来てから足かけ九年になるが、彼（かれ）ははじめて来た時に住居（すまい）ときめたままの同じ下宿屋（その間にそこの主人の代が十三度も変った）の同じ部屋に起き伏（ふ）ししている。

彼は、それでも、高等学校時代には、校規がゆるさなかったからでもあろうが、とにかく、授業日数の三分の二ぐらいは学校に出た。そうして、成績も上の部であった。が、大学に来てからは、一年に平均十日ぐらいの割り合いで、四年間に四十日ほどしか学校の門をくぐらなかった。したがって、卒業の時の成績は最下等から二番目であった。

そもそも、彼は、尋常（じんじょう）小学校の三四年時分から、少年雑誌やお伽話（とぎばなし）の本を耽読（たんどく）し出して、その頃から、おぼろ気ながら、将来は巌谷小波（いわやさざなみ）になろうと志したのであった。

彼の父は彼が三歳の年になくなった。しかし、後には彼の母と彼とが一生を送り得るほどの財産が残された。ところが、母が、大事をとって、これをある有力な親類に托（たく）したのが、かえって不幸をまねく元になった。というのは、ふとした失敗からその親類が破産すると共に、彼等の財産もまた失われてしまったからであった。それは三作が中学にはいった年のことである。

　そこで、大池という別の親類があらわれて、三作に学資を支給することになった。大池は、彼の父の従弟にあたる者で、かつて彼の父から、金銭上のことは、もとより、さまざまの世話を受けた事があったが、その後、ふとした事業にあたって、この頃は百万にちかい財産家になっていたのであった。三作は、この大池の意見で、中学一年をおえるとともに、大池の家にひきとられ、甲種商業学校の編入試験をうけることを余儀なくされた。しかし、彼は、なんと思ってもその気になれなかったので、試験の二日前に大池の家をとびだして、自分の家（といっても、破産後は、母もろ共、彼の母の生家に同居していたから、その家）に逃げて帰った。

　それで、大池も、ついに我をおって、仕様事なく学資だけは元のとおり出すことにして、そのまま彼に中学をつづけることを許した。元来、彼は小学校も中学校もことごとく優等の成績をつづけて来た。といって、中学にはいってからも、特別に学課を勉強したわけではない。それどころか、その頃は、雑誌や小説類を耽読していた。それに、幼年時代の巌谷小波からの志望はすこしずつ変って、雑誌記者となり、やがて、中学の三年頃からは、小説家が動かすべからざる将来の目的となった。そうして、それがずっと近頃までつづいて来たのである。要するに、少年の頃の彼はいわゆる秀才であった。

さて、彼が中学を卒業した時、また一つの問題がおこった。というのは、大池がこんどこそはぜひ彼に高等商業に入学をせまったのに対して、彼はあくまで文科に志すことを主張したからである。その間にいろいろな悶着（もんちゃく）があったすえ、それでは、と（別に他から口をきく者があって、）中を取って法科にという事になったのである。商科と文科との中を取って、いかにして法科という計算になるか。――これは秀才乙骨三作にもわからなかったが、とにかく、学資を出してくれる親類のいうことを、それ以上まげることの不可能と不利とをさとったので、彼はついにそうしてやむをえず法科にはいる事になったのであった。かくて、彼は、高等学校から大学への長い年月のあいだ、いわば法科という椅子にすわって、文学書ばかりに読みふけって過ごした。そうして、辛うじて法科の試験だけをとおり抜けて、五年前に名目だけの法学士となったのである。

　彼の卒業と前後して保護者である親類の大池が死んだ。もちろん、そのまま大池の家は絶えたわけではなく、りっぱに跡継（あとつぎ）の者はあったが、彼の卒業と共に、あたかも負債をかえしおおせたかのごとく、大池から彼への送金はとめられた。前にものべたように、彼は、法学士ではあるが、法律はほとんど知らない。彼に反感をいだいている親類の者たちは、彼の就職の口を世話しようという者もない。妙に高慢な彼は、といって、先輩をたずねて口をさがしもしない。また先輩のほうでも、一人として彼にあまり好意を持つような人はなかった。

そこで、あわれな法学士はたちまち餬口の途に窮さねばならなくなった。彼は、大学在学ちゅうにも、むしろ、法科の人人より、文科の人人に多くの友だちを持っていたので、ときどき、それらの友だちを通じて、安飜訳をしたり、お伽話を書いたり、して、貧乏な日をくらしつづけて来たが、今や、下宿屋にはすくなからぬ借金もたまっている。その上、卒業とともに、故郷にいる年とった母に月月十五円の金を送らねばならぬことになっている。

ところが、この一両年来、彼はいっそう貧乏におちいった。飜訳の仕事も思うようにない。お伽話も種がつきた。といって、文学のほうの先輩をたずねて、頭をさげて仕事をたのむことは彼にとって法律のほうの先輩を訪問するのと同じくらい苦手であった。（つまり、彼は、そんなに高慢でありながら、そんなに内気な男でもあったのだ。）そんな訳で、いつとなく母におくる金もとどこおりがちになった。一度とどこおらせると、ついかまうものかという気になって、しだいに送らなくなった。ついには催促の手紙を握りつぶすこともそれほど気がとがめなくなった。

すると、つい一ヶ月ほど前、国の方から一通の手紙が来た。まえに述べたごとく、その頃、彼は、国から来た手紙を、ともすると、二日も三日もよまずにおいて、そのまま読まずじまいになるものまであるが、これは運よくすぐに開封して読んだ。「運よく」というのは、偶然にもこれが非常な吉報をもたらした手紙であったからである。それは、彼が余りしばしば母に送金をおこたった結果、それがだんだん親類たちの耳に聞こえていって、かつて彼の亡夫の在世ちゅうに亡夫から多少とも世話をうけて目下は一人前以上になっている人人（例えば大池のごとき）が申し合わせて、一万円ばかりの金をあつめて、それで母に簡単で確実な商店をひらかせることになったという報告なのであった。

その報告をうけてからというものは、彼は、ひどく、がっかりするほど、毎日の生活というものに対して安心してしまった。

「何だって、……」と彼は母からの手紙の終りのほうに書いてあった事を思い出しながら独り言をいった、「彼等は、三作が当然やしなわねばならぬ母を、三作がろくに養わないから、そのために醵金（きょきん）して母に商店をひらかしたのだ。したがって夢にも今後母にねだって——そんな事のいわれる義理でもないが、と来やがったな、——借金などを申しこんではならないって。へん、誰が借金など申しこむものか。だが、待てよ、」と彼は頸（くび）をひねりながら独り言をつづけた。「母がもらったら既（すで）に母のものだ。それに、おれは何も放蕩（ほうとう）三昧（ざんまい）に金をねだろうなどという考えはない。おれは、これを機会に一つ真面目（まじめ）な仕事をしようというのだ。してみれば……だから……

「さあ、これから一つ、おもむろに、金の事なぞ念頭からとりのぞいて、真面目に大人の小説（彼は、長らくお伽話を書きつづけて来たので、普通の小説を、こう呼んでいた）を書こうかな。……

「今までたとい毎月金十五円でも送らねばならなかったために、おれは、心ならずも、くだらない、このまない、気にいらない、仕事をして来たが、今はもうそうして母が生活の安定を得たのであるから……。」

こう思うと、彼は、あたかも道をいそぐ旅のあいだは何の疲れをも知らなかった旅人が、やれやれ目的地についたかと思うと、一度に忘れていた疲れが出て、そこでばったり倒れたという話のように、（その実、さきに述べたように、彼は、ずっと、月月正確に母に仕送りしていたわけではなかったのであるが、）とにかく、急にがっかりしたように安心してしまった。もう何もしなくてもいいような気がし出した。また、何をする気もなくなった。しかし、また、ときどき、いったん学校まで蔑（ないがしろ）にして志を立てた事であるから、どうかして『大人の小説』だけは書きはじめようとはげむ心はおこったが、さて書き上げても、これが、お伽話のように、おいそれと金にかえてくれるどころか、採用してもらうだけにもひと苦労をしなければならぬか、と思うと、たちまち筆を投げてしまうのであった。

以来、彼は、毎日を、友人の訪問か、でなければ、睡眠に過ごした。睡眠といえば、彼は、いつ頃の事からであったか、いちいち蒲団を出し入れする面倒をはぶくために、上と下とにしきられた下宿屋の押し入れの上の段を片づけて、そこに万年床をしいておいた。
「これなる哉（かな）、これなる哉、」と彼はひとり悦（えつ）にいった。「おれは、うまれこそ田舎者だが、百姓や商人の倅（せがれ）とちがって、極めて体が花車（きゃしゃ）に出来ているから、人のように、所かまわずごろりと横になって、雑誌のつみかさねや、座蒲団の二つおりを枕（まくら）の代用にしてはどうも眠れない。これなる哉、これなる哉。」

　なまけ者のくせに、彼は、いつも、朝だけは、一度かならず早く目をさまし、起きて顔をあらって食事をすました。しかし、一二時間するとまたのそのそと押し入れの寝床にはいるのが常であった。そうして、昼頃になるとたいてい昼飯の膳を持ってはいってくる女中に起こされた。そうして、昼飯をくうと、すぐまたのそのそと押し入れの中の寝床にもぐった。そうして、また、夕方になると、夕飯の膳を持ってはいってくる女中に起こされるのであった。これを要するに、寝ているあいだは無意識の世界であるから、彼にとって、彼の三度の食事は、なんの事はない、ちょうど西洋料理の作法の時にボオイが後から後からと皿をはこんでくる、あんな風に、まるで朝昼晩と三つの膳が立てつづけにはこばれるような気がするのであった。そうして、夜はたいてい散歩か友だちを訪問して無駄話にくらした。そうして、いつも夜ねるのはたいてい二時頃になる。それにしても、まあよくもこんなに眠れたものだ、と三作自身がまず誰よりも驚かれるのであった。

「しかし、おれは寝ていて夢を見ないことがない、」とこんな事をときどき彼は考える。「してみると、おれは真に眠っている間はすくない事になるかもしれぬ。普通の人が寝ている間に若干の夢を見るとすると、おれのは夢を見ているあいだに少し眠るというようなわけだからな。」

さて、法学士乙骨三作の下宿は、ある坂の中腹であって、しかもそれが往来の面よりも二尺ほど低い地面にたっていた。だから、彼の部屋は、往来（すなわち坂）に面した二階にありながら、道をとおる人の頭と、室内にすわっている彼の顔とがほとんど同じくらいの高さになるので、窓をあけはなして、押し入れの戸をもあけておいて、そこの寝床の上に横臥しながら、往来のほうを見わたすと、往来の人は、まさか押し入れの中に人がいるとは思わないから、誰も見ている者のない空の部屋のつもりで、無関心な態度で通って行くので、彼は通って行く人人を手に取るように眺めることができるのであった。

そこで、彼は、朝寝あるいは昼寝の床の中から、雑誌にも読みあきた目で、眠り入る前の五分か十分のあいだを、芝居でも見るようなつもりで、坂を往来する人人を眺めた。ついには、それが近所の人なら、「ははあ、今どこそこの誰が通っているな、」と、そのくせ、物をいいかわしたこともない人を、こんな風に物色できるようにさえなった。「あそこの家の病人は、大分よくなったとみえて、近頃はちょくちょく散歩に出るな、結構結構。おや、おや、今日はあの娘がばかにめかして通るな、」と、こんな風に、彼は、寝ながら、眺めながら、独り言をいいながら、やがて夢に入るのが常であった。

法科の学生であった頃、彼は、法律という学問にひどく不満をいだいた。今、肩書だけは法学士となっているが、文学書生のような生活をおくりつつある彼にとって、この頃の文学および文学家というものが、ひどく物たりない、軽蔑すべきものに見え出して来た。むかし、文学家という者は（もっとも、これは彼のみにそう見えたのかもしれないが、）この世のあらゆる物にりっぱな鑑賞眼を持っていると彼は思っていた。ところが、今、彼の見、彼の知る文学家の有様はどうだ。

「ちかい譬えが、」と法学士乙骨三作は例のごとく押し入れの寝床から往来を眺めながら考えた。「今、あそこをとおる女の顔についてだ。おれの知っている文学家のなかで、（事実、彼の法学生時代に文科にいた彼の友だちの多くは既に知名な文学家になっている、）一人として、あの女の顔が、いかに美しいか、またいかに美しくないか、あるいは、あの女の体の恰好について、あの女の、着物の着方なり、全体の扮装なりについて、相当の批評をし得る者があるだろうか。」

いったい、彼は、少年の頃から、どちらかというと、ひとりよがりの、すこし物の出来るのを鼻にかける、高慢な子であった。ひと口にいうと、彼は何となしに浮き世を軽蔑し切った。その傾向が年とともに増長して、今では自分ながらすこし病的だなと思われるくらいになっていた。とにかく、この二三年来、彼にとって、小説は、もとより、評論、戯曲、演劇、絵画、すべて芸術と名のつくものが、ことごとく、不満で、欠点だらけであった。そうして、それらの欠点や長所（もしあらば）は彼にだけしか知られていない、いいかえると、それらの真にわかる者は彼のほかにないとしか思われないのであった。それで、ときどき、模範をしめそうとか、それらを指導するような文章を書こうとか、とまでは考えるのであるが、いざとなると、それがいっこう出来あがらないのであった。

たとえば、料理を食いに行く、義太夫を聞きに行く、その他、落語、講談、浪花節、さては、音曲、舞踊、くだっては、コミック手踊、新派悲劇、何一つとして彼の鑑賞の対象とならぬものはない。彼は、どんなつまらないといわれているものにも、その中に美点を見いだすことが出来るように思うと共に、またどんなに面白いといわれているものにもその中に面白くないところを見いだして、ひとり悦に入るのであった。

「おれは、力士になっても、決してそう弱い者にはなっていないはずだ、」ある時はまたその押し入れの中に横たわりながら、彼はこういう突飛なことを考えはじめた。「今、日の下開山の大力士とうたわれている大嵐辰五郎は、おれとおなじ中学で、はじめはおれと同級であったが、いわゆる劣等生であったから、二年に二度ずつ落第して、とうとうおれより二年下になった。それが、今では、新聞の相撲（すもう）評などを見ると、彼はめずらしく頭のいい力士だといわれている。それはとにかくとして、おれは彼とよく柔道をやりあったものだ。おれは、元来、力はなかったが、体が蒟蒻（こんにゃく）のようにへなへなしていたので、相手がいかに力瘤（ちからこぶ）をいれておれを倒そうとかかって来ても、柳に風――そうだ、ふるい形容だが、柳に風とうけながして、決して負かされたことがない。そのうちに、きっとおれの方で、相手があせってかかってくる隙を見て、相手の力を利用して、いつも、けっきょく、おれの勝ちになったものだ。大嵐のやつ、あの時分から相当に（決して非凡ではなかったが、）力はあったが、しかし、ただの一度だっておれに勝ったことはない。してみると、おれも、大嵐だけの修業をしていたら、今頃は、すばらしい、すくなくとも、奇妙な一廉（いっかど）の力士になっていたにちがいない。」

こう思うと、乙骨三作は、今でも大嵐と相撲を取っても決して負けないような気がしてきた。それから、彼は、当代のおのおのの力士と自分とが相撲を取る事を空想しながら、押し入れの中でにやりと微笑（ほほえ）んだ。

「おれはなぜもっと法律を身を入れてやっておかなかったろう、」と、ある時は、またこんな事を考えた。「あの、頭の融通（ゆうずう）のきかない、弁舌の下手（へた）な、風采（ふうさい）の上がらない、同級の柿井（かきい）のやつ、何だ、今日の新聞で見ると、つまらない事件をあつかって、若手の名弁護士という虚名（きょめい）を博しているぞ。要するに、この世の中ほど与（くみ）しやすいところはないと見える。（三作は、人の身の上ばかり考えて、彼自身にとってこの世の中が、いかに与しがたく、また与しにくかったかを忘れていた。）このおれの頭脳をもって、このおれの弁舌をもって……」こう考えて、彼は、さっそく法律の本を買いこんで、ぜひ判検事を志願しようと思い立ったことも、（但（ただ）しその考えは一時間以上つづいた事はなかったが、）一度や二度ではなかった。

　しかし、要するに、この世に処して行くための最大の要素である根気と勇気とそれから常識とが彼に欠けていた。何もかもが彼にはつまらなかった。何もかもが味気なく、何を見ても、何を聞いても、彼には、不快で、時には腹立たしくさえなった。黒塗の針金製の束髪型（そくはつがた）を入れて、その上に薄くなった少ない髪の毛を一本一本ならべるようにして、鬢附（びんつけ）でたたき固めたような束髪にゆっている、下宿屋のお上などは彼にもっとも不愉快な対象であった。彼女は、一週間に一度か二度かよってくる、老田舎紳士の妾（めかけ）である身分をかくして、女中どもはおろか、止宿人である客たちにまで『奥さん』と呼ばれることに、毎日を楽しみかつ焦心（しょうしん）しているように見える。

「おかみさん。」けれども三作だけはいつでもわざとこう呼んでいたが、彼女は決してそれに対して返事をしたことがない。しかし、三作は、返事をしないお上にむかって、いつもこういうのが常であった。「浮き世が君にはどのくらいおもしろいかね。……」

『浮き世が君にはどのくらい面白いかね、』というのは三作の口癖であった。

「どうだい、君に人生はおもしろいかい。」ある時、彼はまたある友だちにこんな事を聞いてみた。

「う、う、」と不得要領にいったままその友だちは答えなかった。

おなじ問いを他の友だちにしたら、「おもしろくないね、」とその友だちはきっぱり答えた。

そこで、三作は彼の第二の口癖である第二の問いを別の友だちに放った。

「死にたくないかい。」

「知らぬまに殺されたいね、」というのがその友だちの答えであった。

「ああ、ああ、たまらない。ひとつ飛行機にでも乗るかな。おれは中学時代には全校ちゅうでも指折りの機械体操の上手であったから、きっと飛行機の操縦などは巧みにちがいない、」とまたそろそろ彼は独得の誇大妄想をはじめた。「ただすこし惜しいことには、肝心の、もっとも肝心の、度胸というやつがね……」その中に、うとうとと押し入れの寝床の上で、彼は例のごとく夢の世界にはいっていった。

乙骨三作は中学時代に幅とびの名手であった。三間ばかり走って来て、とんと一つ左足で踏み切りをつけて、両足そろえないで、泳ぐような恰好で飛びあがる。やがて、かなたに波形をえがいて落ちかかる時分に、ひょいと体を浮かすようにする。と、その波が二つになる、したがって飛ぶ幅が長くなる、そうして、また体が落ちかかる時分にひょいと体を浮かすようにしてひねる。そうして、大体三つぐらいの波をえがいてかなたに落ちるので、普通一つの波よりえがき得ない飛手にくらべると、比較にならないほど彼は遠くまで飛び得たものであった。今、彼は、それから考えて、あの飛んでいる最中に体を浮かすことを更に更にとつとめていると、機械なしに彼の体は空を飛んで行くのであった。

「これはおもしろい、そうして、これはおれには実に容易な業だ。おやおや、おれはもう松の木より高く飛んでいるぞ。大ぜいの人間がおれの下に見える。しかし、ただ不思議なことに、あまり人がこのおれの離れ業に感嘆していないことだ。が、今にわかる、今に見ろ、今にこのおれの仕事が大したものだということがわかるから。おや、川の岸に出たなあに、川だって、海だって、おなじことだ。かまわず行け行け。そら、何でもない、川も越えてしまった。」――しかし、これは、もとより、夢であった。夢はどの辺でさめたのか覚えていない。が、夢によくある失敗の結末をもって覚めたのでないことだけはたしかであった。

夢がさめても、乙骨三作は、すこしも驚かなかった。彼は、中学時代に、まったく幅とびの名手で、飛んでいる最中に体を浮かしたことも、はっきりと覚えていた。

「おれは今までなぜあれを試みてみなかったのだろう。幅とびの前に駈けるのはすなわち飛行機の滑走というやつだ。踏み切りはすなわち離陸のことか。そうだ、そうだ、たしかに出来るはずだ。しかし……」彼は、こうは思いながらも、さすがにまさかと思いなおした。「しかし……」とまた思いかえした。

彼は、押し入れを出て、せまい六畳の部屋の中でそっとやってみた。が、体は、一尺と畳(たたみ)をはなれないで、かえって今までよりも目方がふえたかと思われるほど要領わるく、どしんと重重しく落ちた。

「いや、こんなはずはない。」彼はその失敗のために更にむきになった。そうして、廊下(ろうか)に出た。さいわい廊下には人の影はなかった。そこには、ちょうど一ヶ月ばかり前の大掃除の時に、体裁(ていさい)と南京虫(なんきんむし)の予防とのために、あたらしく何かの薬品とニスとを塗(ぬ)った、油紙の敷き物がはりつめてあった。それで、つるつるとよくすべるので、彼は、退屈な時、よくその上でスリッパをはいたままスケエティングをやることがある。

今、彼は、夢に暗示された飛行術をもって、われを忘れて、その上を駈けまわっては飛んでみた。しかし、もはや中学時代の十分の一も飛べなかった。そうして、四度目に廊下を走った時、踏切りをする拍子に、彼はすべってころんだ。ころんだ拍子に、彼は梯子段の欄干に向脛をしたたか打ちつけた。あまりの痛さに、彼が、尻もちをついたまま、顔をしかめている時、おりから、鬢附でたたきかためたような束髪にゆって下宿のお上が下から上って来た。

「まあ、」とおかみは目を見はって叫んだ、「乙骨さん。」

「や、奥さん。」彼はめずらしく『奥さん』と呼んだ。それは、ある事を思い出して、向脛の痛さも忘れて、こう呼ばなければならぬ必要を見いだしたからであった。

「奥さん、明日、明日はたぶん少し金がはいるから、そしたら……」

彼は、こういってから、その出鱈目の結果の予想と、足の痛さとに溜め息をつきながら、なおもう少してれかくしの言葉の必要を感じたので、さらに例の口癖の言葉をいった。

「奥さん、浮き世はおもしろくないね。」

「おたがい様ね、」と、はっきり答えて、お上は、笑顔もしないで、そのまま下へおりて行った。

「おたがい様ねヵ。……なるほど、なるほどね。」

法学士、乙骨三作は、尻もちをついたままで、お上の後姿を見送りながら、独り言をいった。

ひきこもりと植物

［韓国文学］

私の女の実

ハン・ガン

斎藤真理子 初訳

〝故郷でも不幸、
故郷ではないところでも不幸なら、
私はどこへ行くべきだったのでしょう。〟

ここではないどこか他の場所に行きたいという気持ちは、誰の心の中にもあるのではないでしょうか？

ひきこもることは、ひとつの場所に留まり続けることで、一見、それとは正反対のことのように思えます。

しかし、ここではないどこかに移動し続けることと、まったく動かずにひきこもり続けることには、どこか通底するものがあるような気も……。

ハン・ガン

（韓江／Han Kang）

1970－　韓国の小説家。光州生まれ。延世大学国文学科卒業。1994年、ソウル新聞の新春文芸に短編小説「赤い碇」が当選し文壇デビュー。2005年に短編「蒙古斑」（連作小説集『菜食主義者』に所収）で、韓国で最も権威ある文学賞、李箱文学賞を受賞し、2016年に『菜食主義者』でアジア人として初めて英国のマン・ブッカー国際賞を受賞。他の作品に『少年が来る』『ギリシャ語の時間』『すべての、白いものたちの』『回復する人間』などがある。小説のほか、詩、絵本、童話など活動は多肢にわたる。

1

妻の体に痣があるのを初めて見たのは、五月も終わりのある日のことだった。管理室わきの花壇の牡丹が、切断された舌のような葉っぱをつんつんと突き出し、高齢者集会所の入り口の敷石の上ではしおれて落ちたライラックの白い花が歩く人の靴底にこびりついている、そんな春の日だった。

正午近かった。

熟した桃の果肉のような日差しは、無数の砂埃や花粉がわが身にまとわりつくに任せて、リビングの床にもやもやと落ちていた。その薄甘く生ぬるい日差しを白いランニングシャツの背中に浴びながら、妻と私は黙って日曜日の朝刊を分け合って読んでいた。

この一週間は、その前のどの一週間とも同様に疲れるものだった。休日にだけ許される朝寝から、私は数分前に目覚めたばかりだった。横向きに寝て、けだるい体をときどきよじって楽な姿勢を作りながら、私は可能な限りゆるゆると、上から下へじっくり活字を追っていた。

「ああもう。あなたちょっと見てくれない？　何でこんなに痣が消えないんだろう」

妻の言うことがわかってそうしたというよりは、単にどこからか音がして静寂を破ったために、私はちょっと放心した視線を彼女のいる方へ向けた。

私は背筋をまっすぐ伸ばして座った。新聞の面と面の間に指をはさんだまま、手のひらで目元をこすった。タンクトップをブラジャーのあたりまで持ち上げると、妻の背中と腰、腹のあたりにかなりひどい痣の跡があった。

「何でけがしたんだ？」

妻は黙って上体をひねると、プリーツスカートの後ろのファスナーを薦骨(せんこつ)のあたりまでおろしてみせた。生まれたての赤ん坊の手のひらほどの薄青い痣が、まるで捺染(なっせん)したようにはっきりと現れていた。

「ん？　何でけがしたんだよ？」

さらに問い詰める私の尖(とが)った声が、十八坪のマンションのリビングの寂寥(せきりょう)を引き裂いた。

「わかんない……自分でも気づかないうちにどこかでころんだのかな……治ると思ってた

んだけど、かえって痣がだんだん大きくなって」

「痛くはないの？」

まるで悪さがばれた子供のように妻があわてて視線をそらしたので、さっき叱るような態度をとったことが若干すまなくなった私は言葉をやわらげた。

「ずきずき痛んだりはしないけど、痣になった部分に感覚がないの。その方が怖いんだよね」

ちょっと前の申し訳なさそうな表情はどこへやら、言っていることとは釣り合わないにこやかな微笑を口元に浮かべて、妻は「病院に行ってみようか？」と尋ねた。

私はふとよそよそしさを感じて、妻の童顔をじっと見た。一つ家で四年も一緒に暮らしてきた人間という実感の湧かない、見慣れない気のする顔だった。

妻は私と三歳違いで、今年二十八歳になる。結婚前は一緒に道を歩くのが気恥ずかしいほど若く見えた——化粧をしていない日には女子高生と誤解する者もいた——妻の顔には、無邪気そうな目鼻立ちに似合わず疲労の跡が歴然としていた。もうどこへ行っても女子高生や女子大生に間違われることはなさそうだった。むしろ、年齢より老けて見えると言う人もいるかもしれない。紅が兆しはじめた青りんごのようだった妻の頬は、こぶしでぐっと押したように深くこけていた。やわらかいじゃがいもの芽のようにしなやかな弾力に満ちていた腰、美しく柔軟な曲線を描いていた腹は、気の毒なほどやせこけていた。

　最後に明るいところで妻の裸を見たのはいつだったろうと、私は記憶をたどってみた。今年でないことは確かだし、去年だったかどうかも定かではない。

　たった一人の家族の体にあんなにひどい痣ができているのを知らずに過ごしてきたのか。まん丸く見開かれた妻の目尻に刻まれた小じわの数を数えてみてから、私は妻に服を全部脱ぐように言った。肉が落ちたせいで見苦しく出っ張って見える頬骨のあたりを赤らめて、妻は抗議した。

「誰か見たらどうするつもり？」

　向かいのマンションと正面から向き合っている他の世帯とは違い、わが家のベランダは東部幹線道路に面していた。幹線道路と中浪(チュンナン)川の向こうのいちばん近い高層団地との間には三ブロックの距離があるから、高性能の望遠鏡でない限りこちらを盗み見ることはできないはずで、高速道路を疾走する車の中から十三階のマンションのリビングをのぞき見るのも無理な話だった。だから、「誰か見たらどうするつもり？」という妻の抗議は、私に対する恥ずかしさという以外には特に意味のないものだった。新婚のころは、休日ともなれば他ならぬこのリビングで、八月の暑さをものともせずに、ベランダ*に出るドアもベランダの窓も全部開け放ったまま、真昼間にも何度となく不器用に愛をかわしてへとへとになったではないか。

一年ほどすると私たちはもう愛に不器用ではなかったが、へとへとになるほど愛し合うことからも、徐々に熱が冷めていった。妻は夕方に午睡をするとそれがひどく深くなる質だった。私の帰宅が遅いときは間違いなく先に寝ていた。一人で玄関の鍵を開けて入り、手足を洗い、電気のついていない寝室に入ると、妻の規則正しい息遣いが寂しかった。その寂しさをなだめようと妻を抱けば、妻はすっかり眠りに酔いしれた目を半ば開けたまま、拒みもせず、といって熱く抱き返してくることもなく、私の体の動きが止まるまでそっと私の髪を撫でてくれるだけだった。

「全部？　みんな脱ぐの？」

笑い出しそうになるのをやっとこらえているような、すっかりしかめた顔で、妻は脱いだ下着をくるくる丸め、ボールのようにして持つとそれで淫部を隠した。

本当に久しぶりの、明るいところで見る妻の裸体だった。

だが私は、欲望を感じることができなかった。臀部だけでなくわき腹にもすねにも、白

＊韓国のマンションでは、保温性を高めるため、ベランダに必ずガラス窓がついており、部屋とベランダの間もガラス窓とドアで仕切られている。

い腿の内側の肌にまでえんどう豆色の痣が出ているありさまを見るとにわかに怒りがこみ上げてきて、怒りが消えるとわけもなく寂しくなった。ぼんやりしがちな性格のこの女は、夜にどこかの道を昼寝に惚けた顔で歩いていて徐行中の車にぶつかったとか、照明のついていないマンションの非常階段で足を踏み外してころがり落ちるとかした上に、寝ぼけてそのことさえ忘れてしまったのではないか。

降り注ぐ晩春の日差しを背に、両手で淫部を隠したまま突っ立って、「病院に行ってみようか?」と、再び私の意見をうかがう妻の姿は途方もなく哀れでわびしく、私は本当に久々に切ない気持ちになり、妻のやせこけた体をぎゅっと引き寄せて抱いてやるばかりだった。

2

よくなると思っていた。そう思ったからあの春の日、妻のやせた体を抱きながら、「痛みがないんだからそのうち消えるさ。まあ、君が自分の体も支えられずにあっちこっちに傷を作るのは昨日今日のことじゃないだろう?」と大声で笑ってたしなめてやったのだ。ずいぶんと熱っぽい風が、丈高いプラタナスの葉と、その向こうでちかちかとまたたく充血した目のような街灯に汗まみれの頬をこすりつけているようだった初夏の夜、食卓の向かいに座り、一緒に遅い夕食をとっていた妻が音を立ててスプーンを下に置くまで、私は彼女の痣のことをすっかり忘れていた。

「何だか変なのよ……あなたもう一回見て」

半そでから出ている骨と皮だけの両腕を上げて、妻はTシャツと下着を一度に脱いだ。私は短いため息をもらしてしまった。

春には生まれたての赤ん坊の手のひらほどだった痣が、今や大きめの里芋の葉ほどに広がっている。そのうえ、痣の色があのときより濃くなっていた。春には薄青かったしだれ柳の枝が、夏になって色濃く伸びてきたときのような、濁(にご)った緑色だった。

まるで他人の体に触れるように、震える手を伸ばして妻の痣のある肩を撫でてみた。いったいどんなひどいけがをしたら、こんな痣ができるのか。

そういえばこの日、妻の顔は鉛を溶かしたように青ざめ、沈んで見えた。けっこう潤いがあった髪の毛は干した菜っ葉のようにばさばさだった。目の白い部分は真っ白を通り越して薄い藍色を帯びており、そのせいでひときわ黒く見える瞳が水気を含んで光っていた。

「私、最近何でこうなのかな。すごく外に出たくて、外に出ると……日光さえ見れば服を脱ぎたくなる。何ていうか、まるで体が脱ぎたがっているみたいで」

奇怪に見えるほどがりがりにやせた上半身をむき出しにした妻が、向かいの椅子から立ち上がった。

「おとといは、裸になってベランダに出て、物干し台のそばに立っててみたの。恥ずかしさも忘れて……誰か見るかもしれないのに……間違いなく、頭のおかしい女みたいだったでしょうね」

持っていた一対の箸（はし）の角をせわしなく触りながら、私は妻のやせ衰えた体が自分に近づいてくるのを見ているだけだった。

「おなかもすかないの。水は前よりたくさん飲むけど……一日に、ごはんは茶碗に半分も食べられないんだ。それしか食べてないから、胃液がちゃんと分泌しないみたい。無理に食べても消化されないし、どこにいてもすぐ吐いてしまうし」

妻は崩れるように膝を折ると、私の腿に顔を埋めた。まさか、泣いているのか？　私のトレーニングズボンが生ぬるく濡れた。

「一日に何度も吐くってどういう気分かわかる？　地面の上で乗り物酔いしてる人みたいで、腰を伸ばして歩けないんだよ。頭が……右の目がほじくり返されてるみたいに痛いの。肩が材木みたいに固くなって、口の中に甘ったるい唾が溜まって、黄色い胃液が敷石や街路樹の根元に……」

つきの悪くなった蛍光灯が虫の鳴くような音を立てていた。その薄暗い電灯の光の下で、背中に痣のできた妻が唇を噛み、声を殺してすすり泣いていた。

「病院に行ってごらん」

妻の顔を上に向かせて、私は言った。

「明日にでもすぐ、内科に行ってみるんだ」

妻の顔は見苦しく濡れていた。干した菜っ葉のような彼女の長い髪を手ぐしですいてやりながら、私は歯を見せて笑ってみせた。

「それと、頼むから出歩くときには気をつけるんだよ。いい大人が体にこんな痣を作るなんて。子供でもないのに」

涙の雫(しずく)で濡れていた唇を力なく開けて、妻の濡れた顔が笑った。

3

妻はもともとよく泣く方だっただろうか？　そうではなかった。上渓洞(サンゲドン)のマンションに住むのはいやだと言って初めて涙をこぼしたとき、妻は二十五歳だった。娘時代の妻はよく笑ったし、その声にはいつも明るい背景色のように、低い笑いの気配が混じっていた。

童顔に比して大人っぽく落ち着いたその声を初めて震わせて、妻は言ったものだ。

人口七十万人が集まって住むなんて、そんなところへ行ったらゆっくり枯れ死んでいくような気がする。何百、何千棟のそっくり同じ建物、一戸一戸にそっくり同じ厨房、そっくり同じ天井にそっくり同じ便器、浴槽、ベランダ、エレベーターもいや。公園も遊び場も、団地内の商店街も、横断歩道もいや。

何だよ急に、子供みたいなことを。

話の内容ではなく、優しい声だけにじっと耳を傾けていた私は、子供をなだめるように言った。

住んでもみないで何でそんなことを言うんだい。人が多いのがどうしていやなんだ。

私はちょっと真顔になって妻の目を見つめた。善良な目だった。

俺はわざわざ、繁華街に近いところにばかり部屋を借りてきたんだよ。人波でざわざわしてる、やかましい音楽が通りでガンガン鳴ってる、混雑した道路で車がクラクションを鳴らしまくってるようなところにばっかり引っ越ししてきた。そうじゃなかったら踏ん張れなかっただろうな。

あの善良な目から、嘘のように涙がころがり落ちた。

そうじゃなかったら、一人で耐え抜くなんてできなかったね。

妻はその涙を手のひらで拭き、まだ流れ出てくる涙で顔を洗うように、両頬を何度も撫でた。

……ずるずる長患(ながわずら)いして死んでいくような気がするの。あの十三階から降りてこられないような気がする。抜け出せなくなりそうな気がするんだってば。

どうしてそんな気味の悪いことを言うんだよ。変わってるなあ、ほんとに。

この上渓洞のマンションに一戸をかまえて暮らしはじめた最初の年、妻は案の定、頻繁に体を壊した。山の斜面を粗末な家がびっしり埋める住宅街で自炊生活を送り、寒さに慣れていた妻は、密閉されたマンションのセントラルヒーティングになじめなかった。早足で急坂を上り降りして薄給の出版社に毎日通い、鍛錬されていた彼女の体は、たやすく生気を失った。

しかし、妻が職場を辞めたのは結婚のためではなかった。私が具体的に結婚話を持ち出したのは、妻が退職して間もないころだった。妻はそれまでに貯蓄した月給と退職金、そして週末に二件ほど家庭教師のアルバイトに駆けずり回って貯めたお金をすっかりはたいて、この国を出ていこうとしているところだった。

ここを離れて血を入れ替えたいと妻は言っていた。ずっとバッグに入れて持ち歩いていた辞表をついに直属の上司に提出した日の夕方だった。血管のすみずみに嚢腫(のうしゅ)のようにしこっている悪い血を取り除きたい、自由な空気で古い悪弊（あくへい）を洗い流したいと、妻は言った。自由に生きて自由に死ぬのが小さいころからの夢だった、条件が整わず、ずっと引き延ばしてばかりだったけれど、やっと多少のお金も貯まったし自信もついたので、実現できることになったと言った。とりあえず出かけて、六か月ぐらい一つの国で過ごしてから他の国に行き、そこにまた何か月か滞在して次の国に行くのだと言った。

死ぬ前にね、と言いながら妻は低く笑った。

そうやって世界の果てまで行ってみたいの。すごく遠くへ、地球の反対側まで、休み休みね。

だが世界の果てまで行ってしまう代わりに、妻はそのいくらでもない資金をこのマンションのチョンセ金*と結婚費用に注ぎ込んだ。

「何だか別れられなくて」という簡潔な一言で、妻は自分の行動を説明した。

妻が夢見てきた自由というものは、どれほどの現実的な意味を持っていたのだろうか。そんなにあっさりあきらめたところを見ると、さほど大したものではなかったのだろうと私は推測した。そのために彼女が立てた計画というものもまた、子供じみた、非現実的でロマンチックな妄想だったのだろうと私は思った。妻はそれにやっと気づいたのであり、もしかするとそれは私のおかげなのだという自負の交じった推測に至ったとき、私は一抹（いちまつ）

の感動を覚えた。

だが、よく体調を崩すせいだったのだろうが、狭い肩をしおれた白菜の葉のように落とし、ベランダのガラスのドアに頬をつけて立ち、車が疾走していく様子を見おろしている妻を見ると、胸が沈むことはあった。まるで誰かの透明な腕によって肩を縛り上げられているかのように、見えない鎖と重い鉄の球(たま)で足が動かせなくなっているかのように、彼女は息の音さえ立てずにそこに立っていた。

深夜や夜明け近く、閑散とした道路を猛烈な高速で疾走するタクシーやバイクの轟音に妻はびくっとして目覚め、身を震わせたりした。車ではなく道路が走っているみたいだ、道路と一緒にこの家もどこかに流されていくようだと妻は言った。轟音が遠くに消えた後でやっとまた深々と眠りに落ちる妻の愛らしい顔は、生きた人間とは思えないほど蒼白だった。

あれ、みんなどこから来たんだろう。

そんなある日のこと、聞こえるか聞こえないかの声で、夢うつつのように妻がそう尋ね

＊チョンセは韓国特有の賃貸形式で、入居時に多額の保証金（チョンセ金）を大家に渡す代わりに月々の家賃が発生しない。

たことがあった。

……みんな、ああやってどこまで走っていくの？

4

翌日の夜、私が玄関のドアを開けて入ってきたとき、妻はリビングをうろうろしていて私の足音を聞いたのか、玄関の方へ出てきていた。彼女はスリッパも靴下もはかず裸足だった。きちんきちんと手入れをしていない白い足の爪が丸く反（そ）っていた。

「病院では何て？」

妻は答えなかった。靴を脱ぐ私の様子を黙って見守っていたが、潤いのない髪の毛が一筋顔に落ちてきたのを耳の後ろにかき上げると横を向いた。

あの横顔だ、と私は思った。初めて妻を紹介された日、仲介役を務めてくれた職場の先輩がかなり時間が経ってから席を立つとしばらく静寂が流れ、妻の顔に浮かんだあの秘密めいた表情に私は当惑していた。まるでどこか遠いところをさまよっているような、しかしそこがどこなのか誰にも教えてやったことのないようなまなざしだった。ふと、明るく愛らしいとばかり感じていた顔にまるで別人のような寂しさを読み取ったために、その瞬間私は、妻が私を理解するだろうと思った。私はずっと寂しい人生を送ってきました、と酒の勢いを借りて告白したとき、二十五歳だった妻はやはりあのように、寂しいのを通り越して冷たい横顔で遠くを凝視していた。

「病院に行くことは行ったのか？」

妻は横向きの顔をわずかに動かしてうなずいた。妻がそっぽを向いているのは、顔色の悪さを隠すためだろうか。または何らかの私の行動に不満を表すためだろうか。

「話してごらん。医者は何て？」

「大丈夫って」

息切れしたように、妻はそう言った。怖いほど落ち着いた口調だった。

妻に初めて会ったとき、いちばん気に入ったのは彼女の声だった。突拍子もないたとえだろうが、念入りに漆(うるし)を塗り、釉薬(ゆうやく)を施(ほどこ)した茶事用のお膳みたいな声だと私は思った。大事にしまっておいて、重要なお客が来たときにだけ取り出す、いちばん良い茶と茶器を載せたくなるような品のあるお膳のことだ。その日、不安定に震えながら切り出した私の告白に少しも動揺することなく、妻は例の落ち着いた声で尋常に返答した。私は一生定着せずに生きていきたいんです、というのが彼女の答えだった。

そのとき私は植物の話をした。私の夢はマンションのベランダに大きめの植木鉢を置いて、そこにネギとサンチュとエゴマを植えることだと言った。夏にはエゴマの花が雪のように白く咲くだろうとも言った。草花や野菜の話は私の体格と釣り合わないと言いたげにまじまじと私を見ていた妻は、台所で豆もやしも育てたいんですよ、と最後につけ足した言葉を聞いて初めてかすかに笑った。その、かぼそく優しい笑いの裾にすがって、私は再び言った。私はずっと、寂しい人生を送ってきたんです。

結婚後、私は約束通りベランダに植木鉢を持ち込んだが、二人とも有能な管理者にはなれなかった。水さえやれば育つものと思っていた野菜たちはどうしたことか、一度の収穫もできないまま、しおれて枯れていった。

ある人は、高層マンションだから土の精気を浴びられないのだと言い、またある人は水と空気が悪いのだと言った。育てる人の誠意が足りないせいだとお叱りを受けたこともあるが、それは事実ではない。植物に対する妻の真心は予想外のものだった。サンチュやエゴマが一株枯れたら半日ずっと泣いたような顔だったし、一株が生き返ったらしいとなれば、いい声で低く鼻歌を歌っていた。

どういうわけだったにせよ、今やベランダに残っているのは乾いた土の入った長方形の植木鉢だけだ。あの枯れた草花と野菜はみんなどこに行ったのだろうと、私は思った。雨が降る日には窓枠に植木鉢を載せ、冷たい雨で手を濡らしてみたりした日々、若かったあの日々はみな、どこへ行ったのか。

そんな私を見ながら、妻は言ったものだ。

いっそ遠くへ行こうよ、私たち。

葉っぱ一面に力強い雨を浴びて身をうごめかし、しばしといえども蘇（よみがえ）る野菜とは違い、妻はさらに陰鬱（いんうつ）に立ち枯れていくように見えた。

ここじゃ息苦しくて暮らせない。鼻水も痰（たん）も真っ黒よ。

妻はサンチュの葉の上にやせた指を差し出して雨を受けていたが、すぐにベランダの外にそれを振りまいた。

汚い雨だわ。

妻は同意を求める目つきで私を見た。

ちょっと生き返ったみたいに見えるだけだよ。

まるで、酔っ払って「この国は腐りきっている！」などと叫ぶ人みたいに、敵意に満ちた声で妻は言い捨てた。

ちゃんと育つわけがないじゃない？　こんなにうるさいところで……こんなに息の詰まるところで、自分たちだけで閉じ込められて！

そのとき私は、もう耐えられないと感じた。

何が息苦しいっていうんだ？

私の短く危うい幸福をみだりに壊す妻の敏感さが、そのやせ細った体が、もう耐えられなかった。

言ってみろ。

私は両の手のひらいっぱいに集めた雨水を妻の顔に浴びせた。

何がそんなにうるさいんだ？

驚きおののいて顔を拭く妻の口から、低いうめき声が漏れてきた。妻の濡れた手が激しく虚空をつかんだ。冷たい雨水が窓の内側に、私の顔にはねた。そのあおりで、窓枠にのせておいた植木鉢が妻の足の甲に落ちてベランダの床にころがった。怒りに満ちたその破片と土のかたまりが妻の服と素足の上に散らばる。腰を「の字の形に折り、傷ついた足の甲を両手で押さえている妻は、下唇を噛んでいた。

結婚前から妻には、私が激情にかられて大声を出すと同時に唇を噛む癖があった。しばらく口をつぐんで考えをまとめてから、一つずつ順序立てて話し出したりした。だがその日以後、妻は口をつぐんだ後にまた話し出すことをやめた。その日以後私たちはただの一度もけんかをしなかった。

「何も異常はないって？」

私は激しい疲労と寂しさを感じながらスーツのジャケットを脱いだ。妻はそれを受け取らなかった。

「何の異常もないって」

妻は短く答えた。依然、顔を横に向けたままだった。

5

妻はしだいに言葉を失っていった。自分からは何も言い出さず、私が何か尋ねると頭の動きだけで答えた。返事をしろと怒鳴っても、えーと……というような目つきでよそを見ておしまいだ。妻の顔色が悪くなってきたことはもう、暗い蛍光灯の下でもはっきり見て取れた。

医者の診察で何の異常も発見されなかったのなら、妻は胃腸が悪いというより、単に心が辛いのかもしれない。だが、いったい何のために苦しんでいるのか。

これまでの三年は、私にとって最も温かく平和な時間だった。荷が重すぎも軽すぎもしない職場の仕事、幸いにも相場に無関心でチョンセ金を値上げしない大家、満期まぢかの住宅積立貯蓄、特に愛嬌がありもしないが私に忠実な妻、すべてが適切に温められた湯船の湯のようになみなみと溢れ、疲れた私の体をいたわってくれた。

妻の問題は何だろう。どんな苦しみが心因性の障害まで呼び起こしたのか、私は理解できなかった。この女が私にこんな寂しい思いをさせたりしていいのか、何の権利があって私を困らせるのだとけげんに思うたびに、どうしようもない嫌悪感が古い埃(ほこり)のように積もっていくのを感じる一方だった。

六泊七日の海外出張を翌日に控えた日曜日の朝、肌のほぼ全体に青い痣ができ、痣のない白いところの方が斑点のように見える両腕でベランダで洗濯物をはたいている妻を見たとき、私は息が詰まるのを覚えた。空の洗濯かごを抱えてリビングに入ってくる妻を制止して、私は服を脱いでみろと言った。反抗する妻のTシャツを脱がせると、濁ったような濃い青色の肩が現れた。

私はよろよろと後ずさりし、妻の体をにらんだ。多かった脇の毛は半分ほど抜け、やわらかかった褐色の乳頭は白っぽく脱色していた。

「こりゃひどい、お義母さんに電話しなくちゃ」

「だめ、私がする。あなたはしないで」

舌を噛んでいるようなはっきりしない発音で、妻はせっぱつまって叫んだ。

「病院に行け、わかったか？　皮膚科に行け。いやそうじゃない、総合病院に行け」

妻はうなずいた。

「俺が一緒に行きたくても時間が取れないことはわかってるじゃないか。自分の体は自分で面倒見るべきだろ」

妻はまたうなずいた。

「お義母さんも呼べよ。俺の言うことを聞け」

唇を噛んだまま、妻はずっとうなずいていた。私の言うことを聞いてうなずいているのか？　誰も耳を傾けてくれない自分の言葉が安物の菓子のかけらのようにベランダの床に散らばる音を、私は聞いた。

6

エレベーターのドアはガタンという音とともに開いて一度閉まりかけ、それから完全に開いた。ずっしり重いスーツケースを引いて暗い廊下の端まで歩いていき、ブザーを押した。反応がなかった。

私はひんやりした金属のドアに耳をつけた。二回、三回、四回。はるか遠くで鳴っているようなブザーの音を確認しながら、何度もブザーを押した。スーツケースをドアに立てかけて腕時計を見た。午後八時だった。いくら夕方に眠りこけてしまう妻とはいえ、これはちょっとひどい。

私は疲れていた。夕飯もまだだった。今日だけはドアを鍵で開けたくなかった。もしや妻は私の言いつけ通りに、義母を呼んで病院に行ったか、故郷の実家に帰っているのだろうか？　しかし玄関に入ると、妻の一張羅の靴やスニーカー、サンダルが無秩序に散らかっているのが一目で見えた。

靴を脱ぎながら私は、家の中の空気がいつにもまして冷たいと感じた。スリッパをはいて何歩か踏み出す前に、むかむかするような匂いがした。冷蔵庫のドアを開けると、かぼちゃやきゅうりなどおかずの材料が干からびて歪み、まん中あたりから腐りかけていた。炊飯器の中には、ずっと前に炊いた飯が茶碗に半分ほど残ってこびりついていた。古い飯の匂いが熱い湯気とともに鼻をついた。食器洗いもされていない。洗濯機の上に置かれたプラスチックのたらいの中では、灰色の石鹸水に浸けられた洗濯物が腐臭を放っていた。

寝室にも、トイレにも、洗濯機のあるスペースにも妻はいなかった。私は声を出して妻の名を呼んだ。何の返事もなかった。出張に出かける朝に私が読んで広げたままの朝刊と妻が五百ミリリットルの空の牛乳パック、牛乳のしずくが白く凝固したガラスのコップと妻が脱いで裏返しになっている白いソックス一組、赤い人造皮革の財布などがリビングのあちこちに乱雑に散らかっているだけだった。

車の音が、幹線道路を荒々しいスピードで疾走するエンジン音の不快な響きが刃となり、室内の頑なな寂寞の表面を引っかいては傷をつけていた。

ひもじさと疲れのせいで、飯をすくう清潔なスプーン一つ見当たらず、食器類がシンクの洗い桶の中で腐っているせいで、私は寂しさを感じた。あんな遠くから帰ってきたのに誰もいないせいで、長い飛行時間の間に起きたこまごましたできごとや、異境の汽車から見た風景について話したかったせいで、「疲れた？」と聞いてくれる人がいないせいで、「大丈夫だよ」と頼もしくがまん強く答えることができなかったせいで、私は寂しかった。寂しさのために腹が立った。私の体がどうでもいいものであるかのような、世の中の何一つ私に触れ合ってこないような感じ、どんな服でも防ぐことのできない寒気、何者によっても、誰からも慰めを得られないという当然の事実を自らに対して必死に隠してきただけだという思いのせいで、腹が立った。いつ、どこでも一人であり、誰も私を愛さないなら、すでに私は存在しないも同然なのだ。

かぼそい返事が聞こえてきたのはその瞬間だった。

音のする方向へ体を振り向けた。妻の声だった。正確に聞き取れないつぶやきが、ベランダから聞こえてきた。

「そこにいるのになぜ返事もしない？」

私は大きな足音を立てて歩いていった。強い寂寞が一瞬で安堵に変わるのを感じ、続いて、ぶつける対象を見つけた怒りがどっと舌先にこみ上げてくるのを感じながらベランダに通じるドアを開けた。

「この台所は何だ？　いったい、何を食べて暮らしてたんだ？」

そのとき私は妻の裸を見てしまった。

妻はベランダの窓の防犯格子に向かってひざまずいたまま、万歳を叫ぶように両腕を上げていた。彼女の体は濃い緑色だった。青ざめていた顔は常緑闊葉樹（かつようじゅ）の葉のように艶々（つやつや）と光っていた。干した菜っ葉のようだった髪の毛には、新鮮な野草の茎のような潤いが漲（みなぎ）っていた。

緑の顔の中で二つの目がかすかに光った。後ずさりする私に向かって妻は体を起こそうとした。しかし立ち上がることも歩くこともできないというように、足のあたりをぴくぴくと痙攣（けいれん）させるだけだった。

妻は苦しそうな身動きで、しなやかな腰を左右に揺らした。真っ青な唇の中で、退化した舌が水草のように揺れた。

歯はもう、痕跡も残っていなかった。

……水。

妻の白っぽい唇がすぼみ、うめきに近い一言が漏れてきた。

私は夢中でシンクに走っていった。プラスチックのたらいにあふれるほど水を汲んだ。私の早足に合わせて揺れる水をばしゃばしゃとこぼしながらベランダに戻った。それを妻の胸に浴びせた瞬間、彼女の体は巨大な植物の葉のようにぶるっと震えながら蘇った。もう一度水を汲んできて妻の髪にかけた。妻の髪の毛が踊るように逆立った。緑色に光る妻の体が私の洗礼によってすがすがしく生き返るのを見て、私はただただ頭を振った。

私の妻が、あれほど美しかったことはなかった。

7

お母さん。

もうお母さんに手紙を書くことができなくなりました。お母さんが置いていったセーターを着てみることもできなくなりました。冬にここに来たときに忘れていった、赤紫色のウールのセーターのことですよ。

あの人が出張に出かけた翌日、朝から悪寒がするのであの服を着てみたんです。すぐに洗わなかったおかげで、古いおかずの匂いやお母さんの肌の匂いがそのまま染みついていました。他の日なら洗ってから着たかもしれないけれど、あんまり寒くて、それにあの匂いをずっとかいでいたくて、着たまま眠ってしまいました。翌朝まで悪寒は止まらず、お母さん、どんなに寒くてのどが渇いたことか、とうとう朝の日差しが寝室のガラス窓から射し込んだとき私は声を殺して泣きました。そのあたたかい光をもう少し深く受け止めたくて、ベランダに出て服を脱いだんです。裸の肌に照りつける日差しがお母さんの肌の匂いそっくりで、その場にひざまずいてお母さんを呼びました。

どれだけ時間が過ぎたでしょう。何日か、何週間か、または何か月だったのでしょうか。かなり空気が温まったと思ったらいつのまにか熱気が消え、それから少しずつ冷えていくのを感じられるだけでした。

遠く中浪川のむこうのマンションの窓に今ごろ、朱色の明かりが灯ったことでしょうね。そこに住んでいる人たちは私を見ることができるでしょうか。幹線道路でヘッドライトの光を放ちながら走っていく車は、私を見ることができるでしょうか。私は今、どんな姿をしているのでしょう。

＊

あの人はとても優しくなりました。大きな植木鉢を買ってきて、そこに私を植えてくれました。日曜日には午前中ずっとベランダの敷居に腰かけて、アブラムシも取ってくれます。私が水道水が嫌いなことを思い出してからは、あんなに疲れきっていた人が毎朝裏山から、薬効があるといわれる湧き水を水タンクにいっぱい汲んできて私の足に注いでくれます。しばらく前には肥えた新しい土を一抱え買ってきて入れ替えてくれました。雨が降った翌日、久しぶりに都市の空気がきれいになった夜明けどきには、窓と玄関のドアをすっかり開け放って空気を入れ替えてくれるんです。

*

おかしいでしょ、お母さん。見て、聞いて、においをかぎ、味わうことをしなくても、すべてがいっそう生き生きと感じられます。幹線道路を荒々しく滑(すべ)っていく車たちの疾走を、あの人がドアを開けて私に近づいてくる足音のかすかな響きを、雨の降る前ともなれば肥沃(ひよく)な夢に濡れた大気を、霧を含んだ夜明けの空のほの白い光を、私は感じます。

近くで、遠くで、何かが芽ぐみ、葉が出てくるのを、何かの幼虫が卵を破って出てくるのを、犬たち猫たちが仔を産み、隣の棟のお年寄りの脈拍が止まるか止まるかと見えて止まらず、上の階の部屋の台所の鍋の中でほうれん草がゆで上がり、下の階の部屋のプレーヤーの上にある壺いっぱいに、腰から剪られた菊の花束が活けられるのを感じます。昼も夜も星たちはやわらかい放物線を描き、日が上るたびに幹線道路沿いのプラタナスの体は切実にそちらへ傾きます。私の体もそれに従い、そちらへ向かっていっぱいに開くのです。

理解できますか？　もうすぐ考えることもできなくなることはわかっていますが、私は大丈夫です。ずっと前からこんなふうに、風と日光と水だけで生きられるようになることを夢見てきたんです。

＊

小さいときのことを思い出します。台所に走っていってお母さんのスカートに顔を埋めると、あ、あのおいしい匂い。ごま油の匂い、炒ったごまの匂い。私の手にはいつも土がついていましたよね。土のついた手でお母さんのスカートのすそを汚したりしたでしょ。何歳のときだったか、小雨が降っていた春の日、お父さんが運転する耕運機に乗せられて、海沿いに走ったことを思い出します。あのとき私に向かって笑いかけてくれた雨具姿の大人たち、濡れた髪の毛が額にぴったり貼りついたままでぴょんぴょん跳びはねながら盛んに手を振っていた子供たちの顔が、風車のようにぐるぐる回ります。

お母さんにとって世の中とは、あの海辺の貧しい村のことだったのでしょ。そこで生まれ、そこで育ちましたね。そこで子供を産み、そこで働き、そこで年老いたのですね。いつかはあの、先祖の墓のある山のふもとに、お父さんと並んで横たわることでしょう。

お母さん、お母さんみたいになってしまうのがいやで、私は遠い遠いここまでやってきました。十六歳のときでした、がむしゃらに家を出て一か月あまりさまよい歩いた釜山(プサン)、大邱(テグ)、江陵(カンヌン)の市街地が忘れられません。日本料理店で年をごまかしてホールの下働きをして、夕方には読書室＊でえびのように背中を丸めて眠っていたけど、私はそこが好きでした。市街地のまばゆい明かり、市街地の派手な人たちが好きでした。

お母さん。見知らぬ人たちでいっぱいのこの街を、老けた、壊れてしまった顔で歩き回ることになるとは、そのときは思っていませんでした。故郷でも不幸、故郷ではないところでも不幸なら、私はどこへ行くべきだったのでしょう。

私は一度も仕合せだったことがありません。どんなしぶとい霊魂が私の首を、私の手足を締めつけ、私を追いかけてきたのでしょうか。痛ければ泣き、つねられれば叫ぶ子供のように、私はいつもひたすら、逃げ出したかったのです。泣きだしたかったのです。世の中でいちばん善良な顔をしてバスの後ろの座席で身をすくめていても、お母さん、握りこ

＊勉強のための貸しスペース。

ぶしでガラス窓をたたき割りたかったのです。私の手から流れる血を貪欲にしゃぶりたかったのです。何が私をあんなにも苦しめたのでしょう、何から逃げようとして、私は地球の反対側まで行こうとしたのでしょう。なぜ行けなかったのでしょう、愚かにも。なぜひらひらと飛び立って、このぞっとするような血を入れ替えることができなかったのでしょう。

＊

私の内臓の中からは何の音も聞こえないそうです。遠くの風の音みたいなものがさあさあと響いているだけだというんです。指先で聴診器をたたきながら、あの年老いた医師がつぶやくのを聞きました。聴診器をテーブルに置くと、医師は超音波検査機の白黒のモニターを開きました。寝ている私のおなかに白い冷たいジェルを塗り、棒のような冷たい器具でみぞおちから下腹まで、きちんきちんと順番に皮膚を撫でおろしていきました。それにつれて内臓の様子がモニターに映し出されているようでした。

ノーマルだがねえ。

ちっ、と舌を鳴らしつつ医師がつぶやきました。

今、見えているのが胃腸なんだが……何も異常ありませんね。

すべてが「ノーマル」だとその方は言いました。

胃、肝臓、子宮、腎臓、全部正常なんだがねえ。

それらがすべて徐々に消えつつあることが、なぜ彼には見えなかったのでしょう。ティッシュペーパーを何枚か抜き出してジェルをざっと拭いてくれて、立ち上がろうとする私に再び横になるように言うと、別に痛くないおなかのあちこちをぐっぐっと押すだけでした。痛いかい？　といきなりぞんざいな言葉で聞く彼のめがねをかけた顔を見据えながら、私は続けざまに首を振りました。

ここも大丈夫？

ここも痛くない？

痛くないです。

注射を打って帰ってくる途中、また吐きました。地下鉄の駅構内の冷たいタイルの壁に背中をつけてうずくまりました。痛みが止まるのを待ちながら、数を数えました。気持ちを楽にしなさいとあの医師が言ってましたから。何もかも心のせいだからと、お坊さんみたいなことを言うんです。気持ちを楽に、気持ちを平和に、一、二、三、四、吐きそうなときは数を数えながらどこまでも平和に……とうとう涙が吹き出すまで痛みは止まらず、立て続けに胃液を吐き出した後、お尻を床につけてうずくまりました。お願いだから、揺れやまないこの地上が止まってくれるようにと待ちました。
それは何て遠い日のことになったのでしょう。

＊

お母さん、しきりに同じ夢を見ます。私の背丈がポプラの木のように高々と伸びていく夢です。ベランダの天井を突き破り、上階の家のベランダを通り過ぎ、十五階、十六階を過ぎ、屋上の上までコンクリートと鉄筋をぶち抜いて、ひたすら伸び上がっていくのです。ああ、その成長点の先で、白い幼虫のような花がむずむずと咲き出すんですよ。はちきれそうに漲(みなぎ)った道管いっぱいにきれいな水を汲み上げて、枝という枝を力いっぱい伸ばし、胸で空を突き上げるのです。そうやってこの家を出ていくのです。お母さん、毎晩その夢を見ます。

＊

日一日と寒くなっていきます。今日もこの世の土の上にどれほど多くの葉っぱが落ちたことでしょう、どれほど多くの草陰の虫が死んでいき、どれほど多くの蛇が殻を脱ぎ、どんな蛙たちが早々と冬眠に入ったことでしょう。

お母さんのセーターのことをしきりに思います。お母さんの肌の匂いはよく思い出せません。あの人に、あのセーターを私の体にかけてちょうだいと言いたいけれど、言うすべがありません。どうしたらいいのでしょう。彼はやせていく私を見て泣いたりもするし、怒ったりもします。知っているでしょ、あの人にとって家族は私だけでした。あの人が注いでくれる湧き水に温かい涙が交じっているのが感じられます。ぎゅっと握りしめたこぶしが、どこにも狙いを定めることができないまま宙を飛ぶのが感じられます。

＊

お母さん、怖い。私は手足を落とさなくてはなりません。この植木鉢はすごく狭くて固いんです。伸びていく根っこが痛い。お母さん、冬が来る前に私は死にます。もう二度とこの世で咲けそうにない。

8

出張から帰ってきた夜、私がたらいの水を三回めにかけたとき、妻はごぼごぼと黄色い胃液を吐き出した。目の前で妻の唇がすばやく縮んで癒着し、その白茶けた唇を震える手で探ったとき、最後に意味のわからない妻のかぼそい声を聞いた。二度と妻の声を、うめき声すら聞くことはできなかった。

彼女の腿から白いひげ根が無数に生い茂ってきた。胸からは赤黒い花が咲き出した。先が白く、下の部分が黄色っぽい厚いしべが乳頭をつき破って出てきた。上に掲げた手に若干ながら力をこめることができたとき、妻は私の首を抱き寄せたがっていた。まだぼんやりと光の残る目を見つめながら、彼女の椿の葉のような手が私の首をちゃんと抱けるように私は腰をかがめていた。大丈夫か？　と私は聞いた。よく熟れたぶどうの実のような妻の目がかすかに笑った。

その秋ずっと、私は妻の体が澄んだ朱色に染まっていくのを見ていた。窓を開けると、妻が上に差し伸べた両腕は、波打つ風の動きにつれて少しずつ、ごく少しずつやさしく揺れていた。

秋が終わるころ、一枚、二枚と葉が落ちはじめた。朱色だった体は徐々に茶褐色に変わっていった。

妻と最後にベッドをともにしたのはいつだったかと私は考えた。あのとき妻の下半身からは、体液が放つ酸っぱいきつい匂いではなく、私の知らないかぐわしい匂いが漂っていた。私はそれを単に、妻がせっけんを変えたか、または残った香水を暇つぶしに二しずくほど落としたのかと思っていた。それは何と昔のことになったのか。

もう妻の体には、二足歩行する動物だったころの痕跡はほとんど残っていなかった。ぶどうの粒のように宿っていた瞳は茶褐色の茎の中に次第に埋もれていった。妻はもう、ものを見ることができない。茎の先を動かすこともできない。しかしベランダに入ると、形容のできないあるおぼろげな感じが、妻の体から私へと微々たる電流のように流れ込んでくるのがわかった。一時は妻の手であり髪の毛だった葉が残らず落ち、縮んで癒着してしまった口の跡が開いて一つかみの実がこぼれ出てきたとき、一筋の糸のようだったその感じは途絶えた。

ざくろの粒のように一度にあふれ出てきた細かい実を片手で受け止めて、ベランダとリビングの間のサッシの敷居に腰かけた。初めて見るその実はえんどう豆のような色だった。ビヤホールでポップコーンと一緒に出てくるひまわりの種のように固かった。

私はその中の一つをつまんで口に入れてみた。すべすべした皮からは何の味も匂いもしなかった。私は力を入れてそれを噛んでみた。地上で私に持つことができた、たった一人の女の実を。その最初の味は刺すように酸っぱく、舌の根に残った汁の後味は少し苦かった。

次の日、私は小さな丸い植木鉢を十個あまり買って、よく肥えた土をいっぱいに入れた後、実を植えた。干からびた妻の植木鉢の隣に小さな鉢たちをきちんと並べた後、窓を開けた。窓の外に上半身を突き出してたばこを吸いながら、妻の下半身から突然漂ってきたすがすがしい草の匂いを思い出し、噛みしめた。涼しい晩秋の風が、たばこの煙と私の伸びた髪の毛を乱して吹き過ぎた。

春が来たら、妻はまた生えてくるだろうか。妻の花は赤々と咲き出るだろうか。それを知るすべは、私にはなかった。

本作品について、韓国文学翻訳院による翻訳助成を受けた。

究極の孤独

［アメリカSF小説］

静かな水のほとりで

ロバート・シェクリイ

品川亮 初訳

〝おれにとってはいいところさ。
おれのことを気にかける人間なんていないいんだし、
そもそもおれのほうだって、
他人のことなんかどうでもよかったからな。〟

ひきこもることは、孤独になることです。

大勢が出入りして、わいわいと騒いでいるひきこもりというのは、あまりないでしょう。ひとりでひきこもり、家族ともなるべく接触を断つ人が多いでしょう。

孤独というのは、それを強く求めているとしても、やっぱり一方で、怖ろしいものです。

自分で望んだことだとしても、宇宙の片隅でたったひとりで暮らすという究極の孤独に、あなただったら耐えられるでしょうか？

ロバート・シェクリイ

（Robert Sheckley）

1928－2005　アメリカのSF作家。ニューヨーク生まれ。「真の黄金時代」とも称される1950年代SFを代表する短編の名手。日本では『SFマガジン』の創刊号の巻頭に「危険の報酬」が掲載され、多くの作家に影響を与えた。60年代の終わりにアメリカを離れ、地中海のイビサ島で暮らすようになり、新作も途絶える。生涯で5回の結婚と離婚を繰り返した。代表作に『人間の手がまだ触れない』『残酷な方程式』『不死販売株式会社』など。

探鉱者のマーク・ロジャースは、放射性物質とレアメタルを求めて小惑星帯（アステロイドベルト）に赴（おもむ）いた。場所を転々としながら何年間も探し続けたが、たいしたものは見つからなかった。やがて彼は、厚さ半マイル＊ほどの岩の板の上に落ち着いた。

マークは生まれつき老けていて、ある時点からあまり年を取らなくなった。宇宙空間に長くいすぎたせいで顔は青白く、両手が少しふるえた。彼は、岩の板をマーサと名付けた。そういう名前の女の子を、知っていたわけではない。

マークはちょっとした鉱脈を見つけた。その稼ぎのおかげでマーサには、エアポンプと小屋、何トンかの土と水のタンク、それにロボットがそろった。こうして彼は、ゆっくりと落ち着いて星を眺められるようになったのだ。

購入したロボットは標準的な汎用作業型で、記憶装置が内蔵されていた。もともと登録されていた単語は三十個。マークは、それに少しずつ新しい言葉を足していった。彼は日

＊約八百メートル。

曜大工タイプの人間だったので、あれこれ手を加えて、身のまわりの環境を居心地良くしていくのが楽しかったのだ。

最初のうち、ロボットが話せたのは「はい、そうです」と「いいえ、ちがいます」だけだった。「エアポンプが稼働しています」とか「小麦が芽を出しました」のように、単純な内容を伝えることはできた。「おはようございます」という挨拶も申し分なかった。

マークは、ロボットの語彙から丁寧語を削除した。マークの住む岩の上では、平等が原則なのだ。それから、ロボットをチャールズと名付けた。頭の中で想像しただけの父親にちなんだものだった。

何年かが過ぎ、エアポンプの負担がわずかに増した。小惑星の岩石の中から酸素を抽出し、呼吸に適した大気へと変換していたのだ。空気は宇宙空間に漏れ出し、ポンプは供給量を上げるために、少しずつ回転数を上げていった。

小惑星の表土が耕され、穀物はその黒い土の上で育ちつづけた。見上げると、川を思わせる真っ黒な宇宙空間と、そこに浮かぶ星の輝きがあった。マークのまわりには、足元にも頭上にも、巨大な岩塊が漂っていた。ときおり、そういう岩のかげから星が姿を現し、キラリと光ることがあった。たまに、火星か木星がちらりと見えた。一度だけ、地球が見えたような気もした。

マークは、チャールズに新しい返答を録音しはじめた。きっかけとなる言葉に対して、単純な答えをいくつか追加したのだ。「どう思う?」とマークが言えば、「うん、いい感じだと思うよ」というチャールズの答えが返ってくる。

マークには、自問自答を延々と続けるという長年の習慣があった。最初のうちチャールズの答えは、そういう時に、マークが自分自身に返すのと同じ内容だった。しかし彼は少しずつ、チャールズの中に新しい人格を組み込んでいった。

マークはもともと女性に対する警戒心が強く、女性を避けるようなところがあった。ところがどういうわけか、チャールズにはそういう警戒心を吹き込まなかった。チャールズの態度は、マークとはかなり違った。

「女の子ってやつを、どう思う?」マークは一日の作業を終え、小屋の外に置いてある荷箱の上に腰を下ろしながらそう尋ねる。

「うーん、どうかな。気が合う子を見つけないとね」ロボットは律儀に答える。録音されたことを繰り返しているのだ。

「いい子になんか、まだお目にかかったことないな」とマークが言う。

「うーん、そうかな。探しきれてないだけかもしれないよ。どんな男にでも、お似合いの子はいるものさ」

「ロマンチックなやつだな！」マークがからかうように言うと、ロボットは少し間を置く――そう設定されているのだ。それからくすくすと笑う。丁寧にプログラムされたくすくす笑いだ。

「マーサっていう女の子の夢を見たことがあるんだ」とチャールズが言う。「もしきちんと探してたら、彼女に会えてたかもしれないな」

そして寝る時間がやってくる。マークがもう少しおしゃべりを続けたいと思うときには、「女の子ってやつを、どう思う？」ともう一度訊く。すると、そこからまた同じ会話がはじまった。

チャールズの老朽化が進んだ。手足が前ほどなめらかに動かなくなり、腐食しはじめた回路もあった。マークは何時間もかけてロボットを修理した。

「おまえも錆びついてきたもんだな」そうからかうと、

「そっちだってだいぶ老けたよ」とチャールズが応える。だいたいのことには答えられるようになっていたのだ。複雑なものではなかったが、答えは答えだった。

マーサでは、いつも夜だった。だがマークは、自分の時間を午前、午後、夜に分割した。二人の毎日は、単純なことのくり返しだった。朝食は、野菜と貯蔵してある缶詰。それから、ロボットは畑仕事をする。植物のほうも、ロボットに世話されて育っていった。マークはエアポンプを直し、給水設備をチェックし、汚れひとつない小屋の中を整頓した。そして昼食。たいていの場合、その頃にはロボットの担当作業は終了していた。

二人は荷箱の上に座って星を眺める。そのまま夕食までおしゃべりをするのだが、夜遅くまで果てしなく続けることもあった。

やがてマークは、チャールズの中にもっと複雑な会話を組み込んだ。もちろん、ロボットに自由意志を持たせることはできなかったが、かなりそれらしい仕上がりにはなった。ゆっくりと、チャールズの人格が形成されていった。だがそれは驚くほど、マークの人格とはかけ離れていた。

マークはいつでも不満たらたらだったが、チャールズはおだやかだった。マークは物ごとをななめから見たが、チャールズは素直。マークは皮肉屋で、チャールズは理想家。マークはよく落ち込んだが、チャールズはいつでも満ち足りていた。

しばらくすると、チャールズに返答を記憶させたのは自分自身だったということを、マークは忘れていった。マークにとって、ロボットは自分と同年齢の友だちになった。つきあいの長い友だちだ。

「おれがよくわからないのは」とマークが言う。「なんでおまえのような男が、こんなところに住みたがるのかってことさ。おれにとってはいいところさ。おれのことを気にかける人間なんていないんだし、そもそもおれのほうだって、他人のことなんかどうでもよかったからな。でも、どうしておまえが？」

「ここにいれば、ぜんぶをひとり占めできるからね」とチャールズは応える。「地球にいたら、ものすごい数の人たちと分け合わなくちゃいけないのに。ここでは星だって、地球で見るよりずっと大きくて明るいし、どこを見ても宇宙が広がってる。おだやかな海みたいにね。それにマーク、きみがいるじゃないか」

「おいおい、おれのことで泣いたりしてくれるなよな――」

「泣かないとも。友情は大切だってことだよ。愛なんて、大昔に失われてしまった。マーサって子への愛さ。きみもぼくも会ったことはない子だけどね。さびしいもんだな。でも友情は変わらない。この永遠の夜もね」

「おまえはたいした詩人だな」マークは半ば感心しながら、そう言う。

「へっぽこ詩人さ」

星々は変わらないが、いつのまにか時が過ぎていった。エアポンプはシュウシュウ、カタンカタンと音をたて、空気が漏れるようになった。マークは修理をし続けた。だが、マーサの大気は次第に薄くなっていった。チャールズが畑を耕しても、充分な空気がないせいで穀物は枯れた。

マークは今や、疲れ切っていた。重力がないのに、かろうじて這い回ることしかできないほどに弱ってしまった。それで、ほとんどの時間を寝床に横たわったままで過ごすようになった。チャールズは、錆びついた身体をキイキイいわせながら、けんめいに食事を運んだ。

「女の子ってやつを、どう思う？」

「いい子になんんか、お目にかかったことないな」

「うーん、そうかな」

マークは疲れすぎていて気づかなかったし、チャールズは気にしていなかった。だが、そろそろ限界が近づいていていた。エアポンプは今にも音を上げそうだった。もう何日も食料が切れていた。

「でも、どうしておまえが？」

「ここにいれば、ぜんぶ――」

「泣いたりしてくれるなよな――」

「マーサって子への愛さ」

寝床の中から、マークは最後にもういちど星々を眺めた。大きかった。これまでになく大きな星々が、宇宙のおだやかな海の上を、果てしなく漂っていた。

「星は……」マークが言った。

「うん？」

「太陽は？」

「――これまでと変わりなく、いつまでも輝き続けることだろう」

「たいした詩人だな」

「へっぽこ詩人さ」

「あと、女の子は？」

「マーサっていう女の子の夢を見たことがあるんだ。もし――」

「女の子ってやつを、どう思う？　星は？　地球は？」こうして、眠りにつく時がやってきた。永遠の眠りだ。

チャールズは、友だちの遺体のそばに立っていた。一度だけ脈を確かめ、それからマークのしなびた手を放して落ちるにまかせた。小屋の隅に行き、ガタのきたエアポンプを止めた。

マークが吹き込んだテープには、あとほんの少しだけボロボロの部分が残っていた。

「マークが、マーサを見つけられたらいいのに」ロボットはかすれ声を上げた。

そこでテープが壊れた。

チャールズの錆びた手足は、もう動かなかった。彼は凍りついたように立ち尽くしたまま、むき出しに輝く星を見つめ返した。そして頭（こうべ）を垂（た）れた。

「主はわたしの牧者」とチャールズは言った。「わたしに望みはない。主はわたしを緑の草原に横たえ、わたしを導かれる……[*]」

＊旧約聖書「詩篇第二十三篇」より。このあと、「静かな水のほとりへ」と続く。

ひきこもり実験の結果

［漫画］

スロー・ダウン

萩尾望都

長くひきこもっていると、現実感覚が少しずつおかしくなってきます。

どういうふうにおかしくなるのか、なかなか説明が難しいのですが、この作品を読んだとき、「これだ！」と思いました。こんなに短い中に見事に描かれていて感動しました。

ひきこもっていない人たちは、しっかりした現実感覚を持っています。揺るぎない現実感覚を。でも、本当にそのほうが正常なのでしょうか？　そのほうがもしかすると……。

萩尾望都

（はぎお・もと）

1949年－　福岡県生まれ。1969年に『ルルとミミ』でデビュー。1974年に『トーマの心臓』を連載。『ポーの一族』『11人いる！』で1976年第21回小学館漫画賞、『残酷な神が支配する』で1997年第1回手塚治虫文化賞マンガ優秀賞、『バルバラ異界』で2006年第27回日本SF大賞ほか受賞多数。2012年には少女漫画家として初の紫綬褒章を受章。2016年、40年ぶりに『ポーの一族』の新作を発表。2017年朝日賞を受賞。2019年文化功労者に選出。

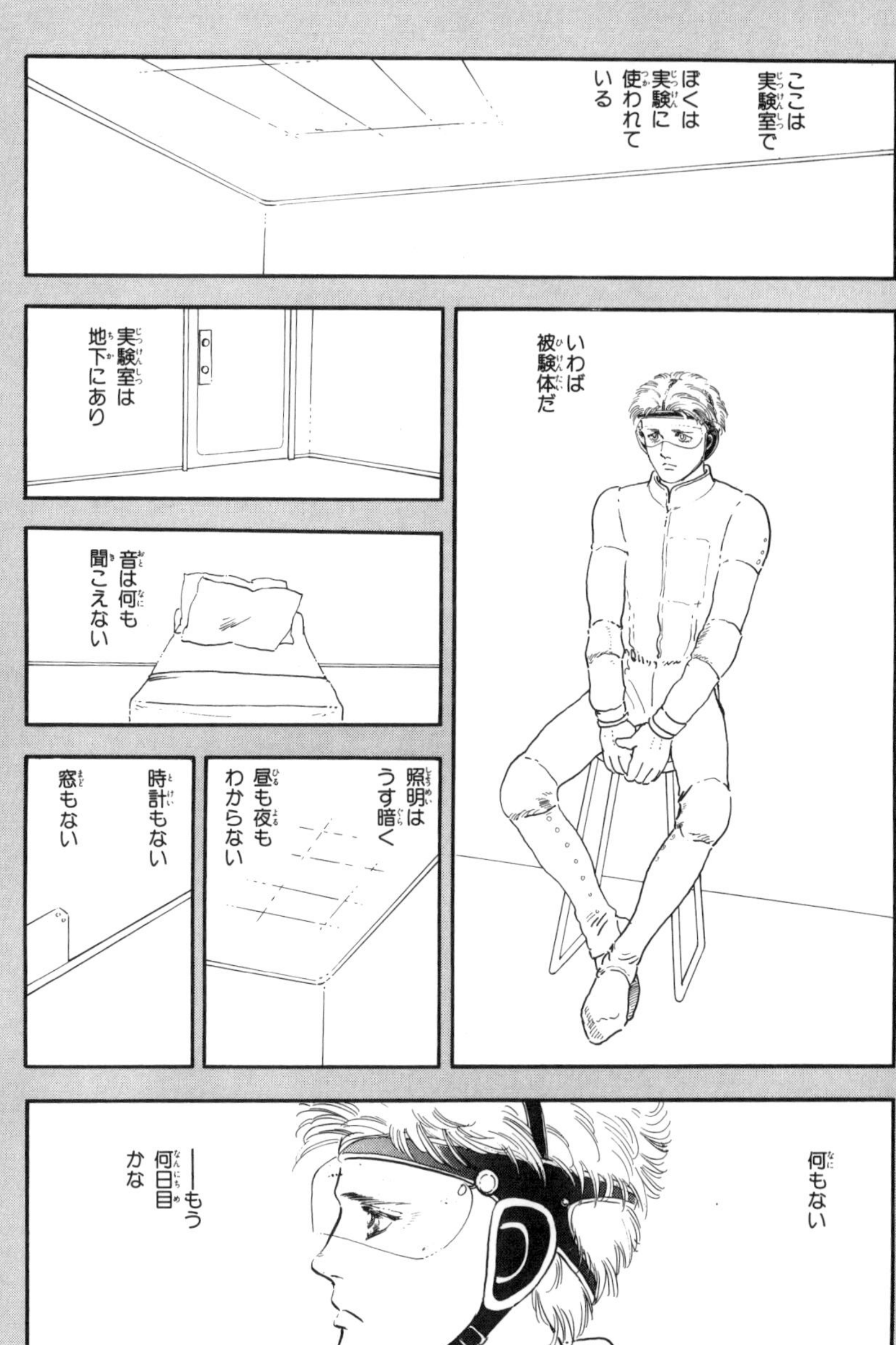
ここは
実験室で
ぼくは
実験に
使われて
いる
いわば
被験体だ
実験室は
地下にあり
音は何も
聞こえない
照明は
うす暗く
昼も夜も
わからない
時計もない
窓もない
何もない
──もう
何日目
かな

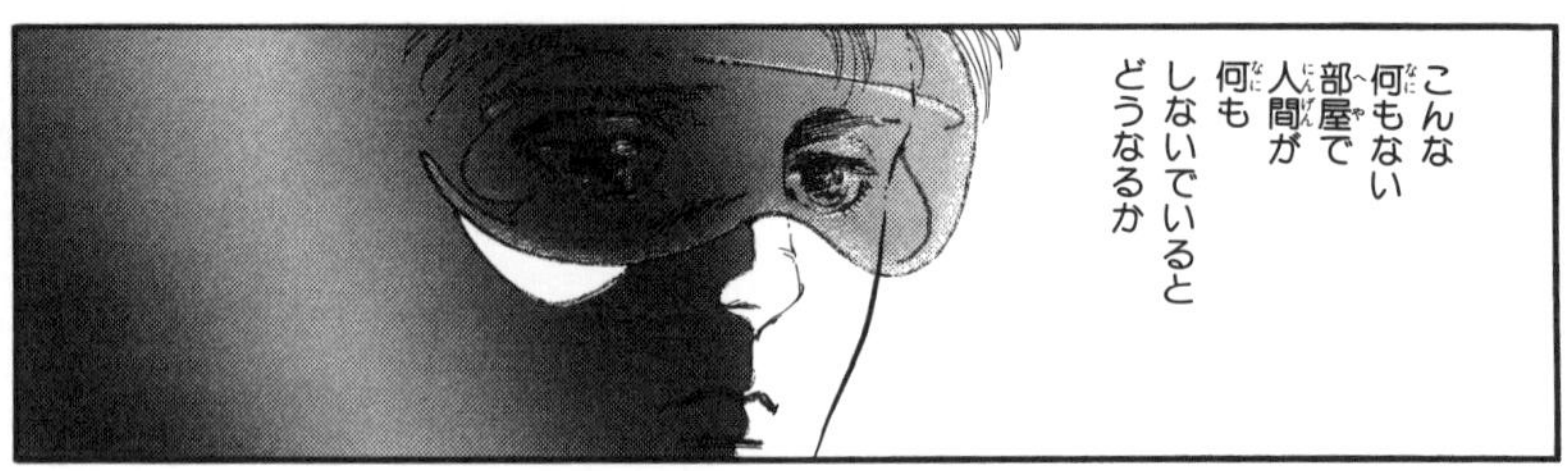

こんな
何もない
部屋で
人間が
何も
しないでいると
どうなるか

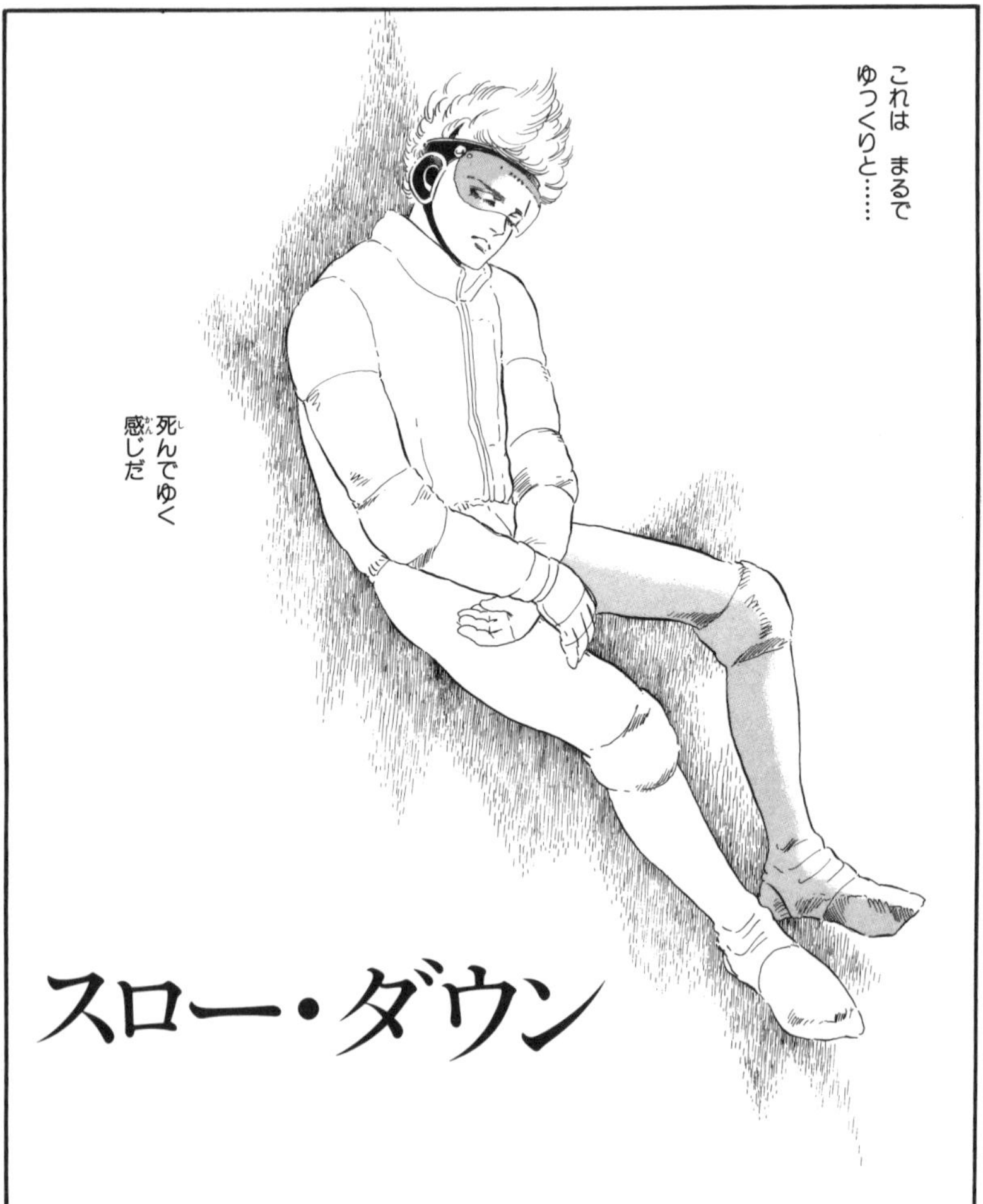

これは　まるで
ゆっくりと……

死んでゆく
感じだ

スロー・ダウン

白い
テーブルの
そばに
白い
ボードが
ある
ボタンを押して
5分すると
パネルが開き
トレイが出る
機内食
みたいな
やつだ
耳にセンが
してあるので
音はほとんど
聞こえない
手袋は
指へのしげきを
少なく
するためだ
もちろん
壁に
くみこまれた
カメラで
ぼくの行動は
監視されて
いる

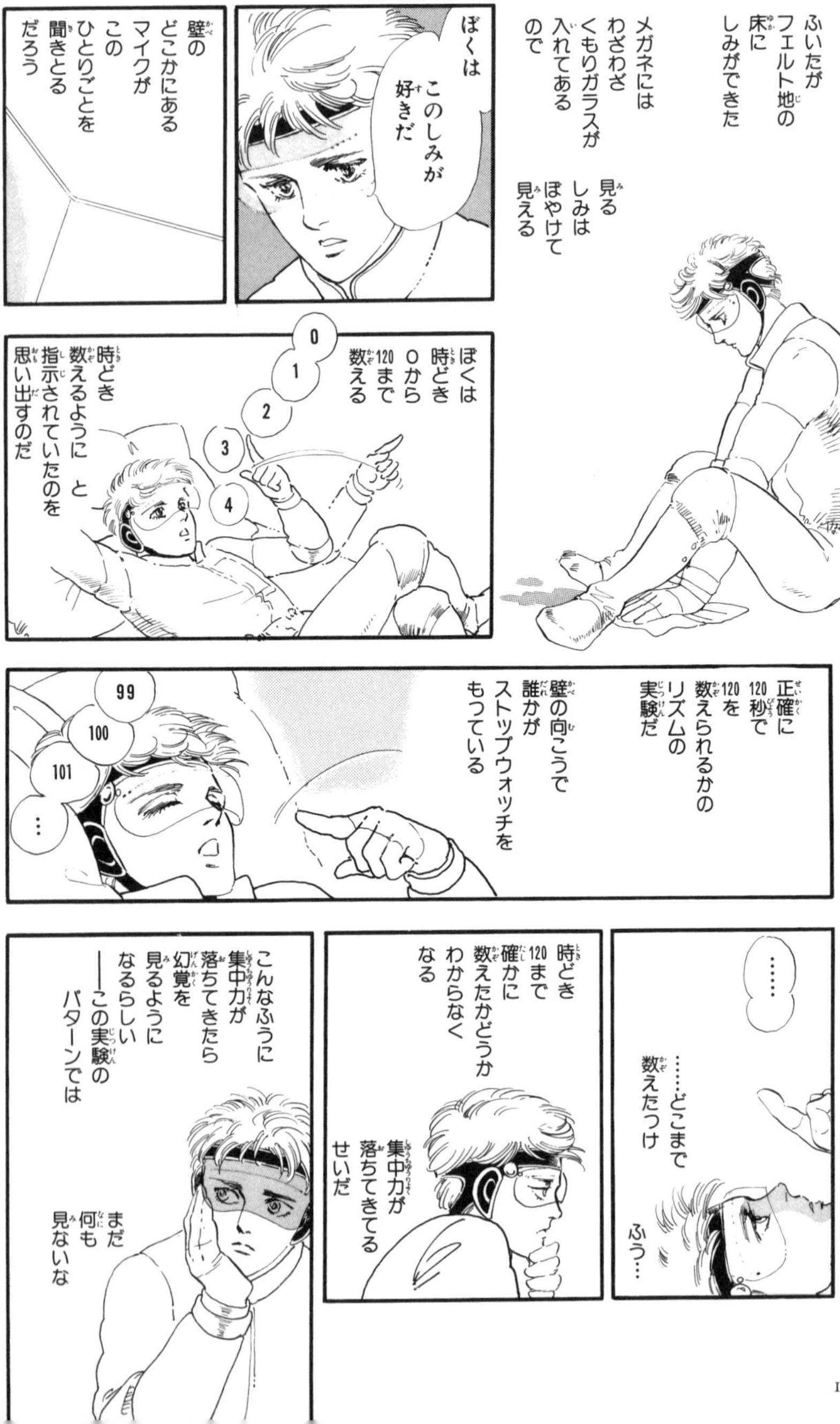

ふいたが
フェルト地の
床に
しみができた

メガネには
わざわざ
くもりガラスが
入れてある
ので

見る
しみは
ぼやけて
見える

ぼくは
このしみが
好きだ

壁の
どこかにある
マイクが
この
ひとりごとを
聞きとる
だろう

ぼくは
時どき
0から
120まで
数える

0
1
2
3
4

時どき
数えるように　と
指示されていたのを
思い出すのだ

正確に
120秒で
120を
数えられるかの
リズムの
実験だ

壁の向こうで
誰かが
ストップウォッチを
もっている

99
100
101
…

すみに
トイレがある
トイレに
行くときは
手袋を
取っていい

トイレは
監視されては
いないが
壁の向こうで
尿が採取され
分析される
体調を
しらべる
ためだ

前
写真で見た
スカイラブの
トイレ
みたいだな　こりゃ

体調は
どうだろう
こんな
夜昼のない
恒常環境に
身をおくと
生物の
24時間の
リズムが
変わると
聞いた
一日が
25時間とか
30時間とかの
サイクルになったり…

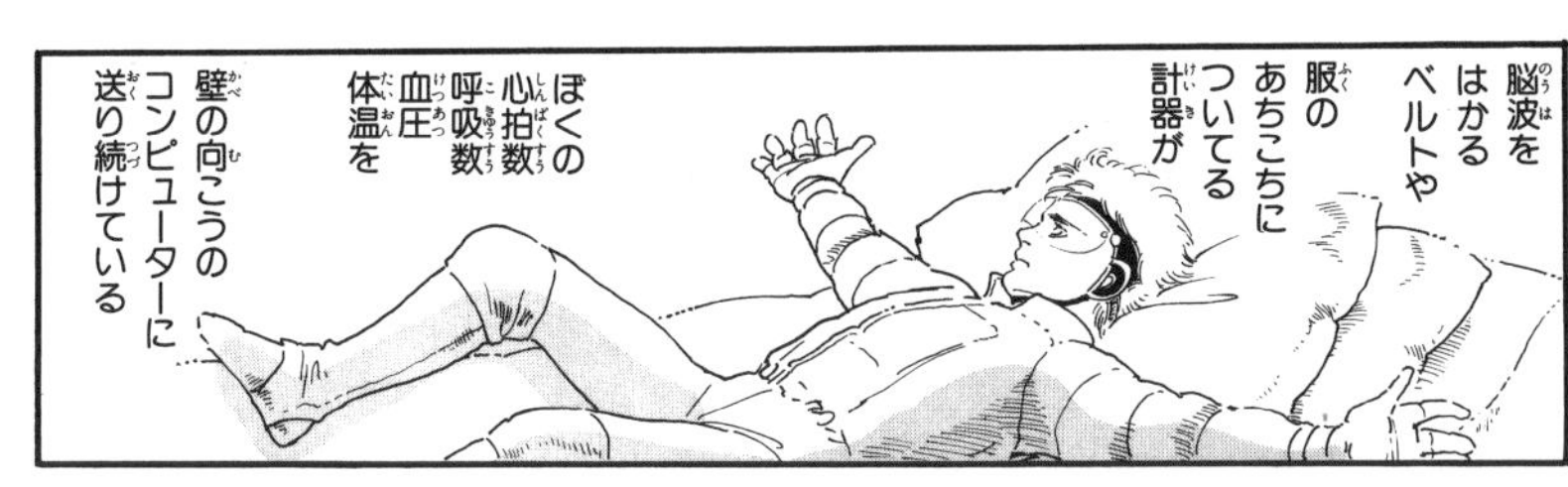
脳波を
はかる
ベルトや
服の
あちこちに
ついてる
計器が
ぼくの
心拍数
呼吸数
血圧
体温を
壁の向こうの
コンピューターに
送り続けている

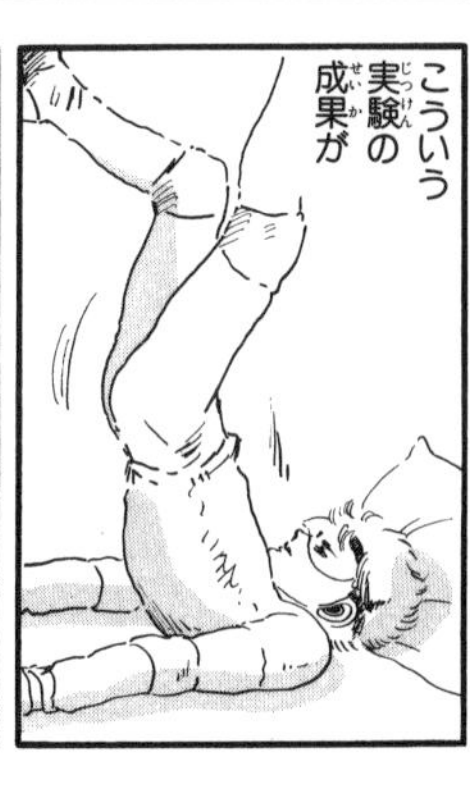
こういう
実験の
成果が

長期の
宇宙旅行
などに
応用
されるん
だろう
な

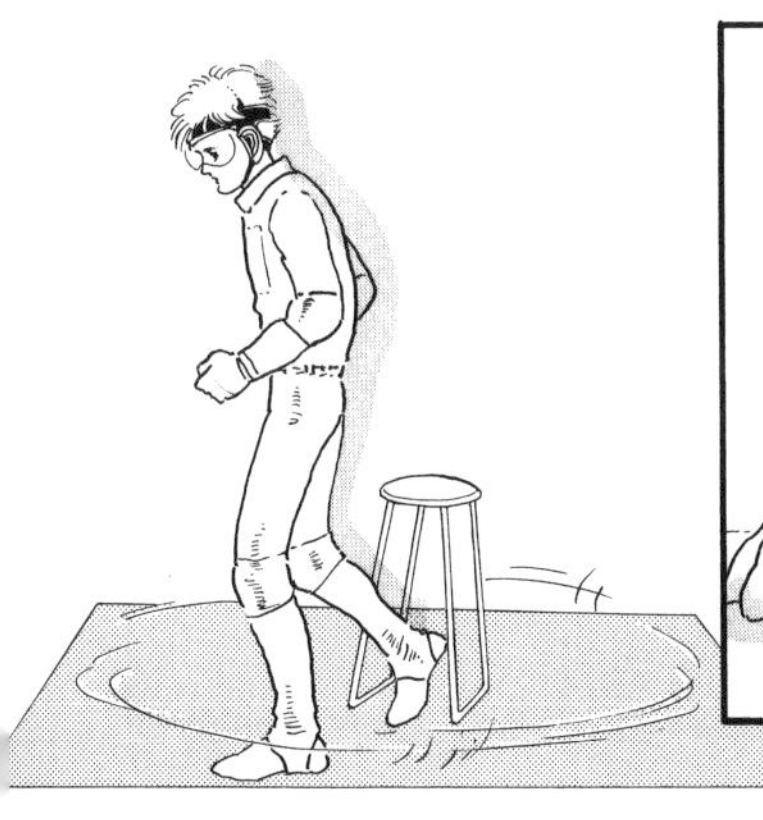

ロイド・ジョージ
！
え!?
声はコンピューター合成の無機質の声だ
ロイドきみはまだ実験を続行できるか？
……
ぼくの名前はルイ・ネルだよ
ロイド・ジョージという名に聞き覚えは？
あるけどぼくの名じゃないな
そうか続行しよう
ぼーっとなって暗示にかかりやすくなるころを見計らって人をハメようとしているな
……
……
ぼくは…ロイド・ジョージかルイ・ネルか？
ルイ・ネルだと思うけど
もしもロイド・ジョージだったらどうしよう
しっかりこれも実験のうちだぞわかってるだろ
わかってる！

何かをしようとするが

1
2
3
4

何のしげきもないこの部屋では

だんだん

思考が散漫になってくる

あ・あ

しみにもあきてしまった

ぼくはまだ生きてるかな

う・う

生きてるおなかがすくから

唯一のしげきである食事

ス

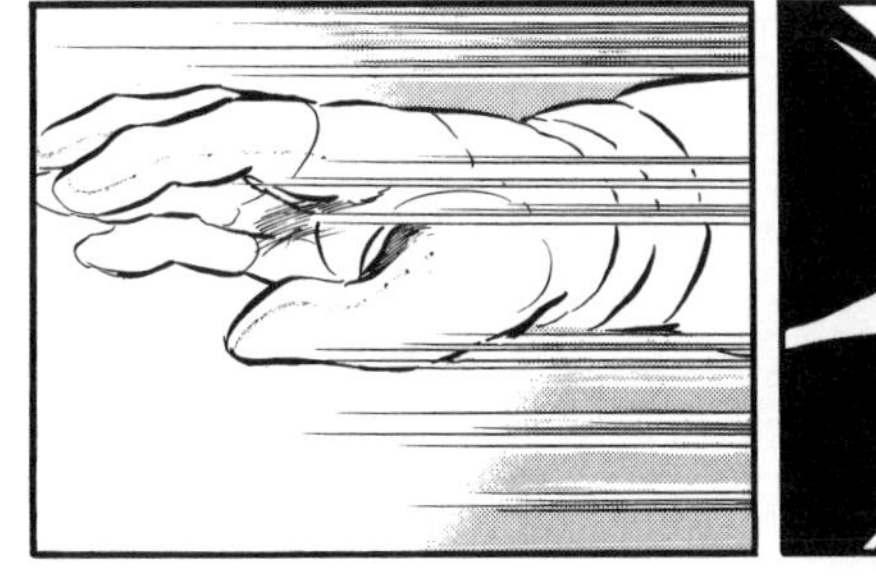

キャッ
！
これは何だ？
これも実験か？
手だ！
手だったぞ！
しつれい
ロイド・ジョージ
ミスだ
続行する
…

あははは
クスクス
ミス?
ボードのミスかな?

ぼくの名前はロイ・ネルだ
いやルイだルイ・ネル!
これは実験だ
部屋の外には研究者や大学の職員がいる
もうだまされないぞ

いやロイ・ネルこれは実験ではない

この部屋は宇宙船の中にある
地球は核戦争で消滅した
きみひとりがかろうじて宇宙船で脱出したのだ

……

戦争で……

うそだ！

ちがう ちがう うそだぞ！

何とでも言えるぞ！ ここは海底だ！ ここは空中だ！ ただ言うだけ しゃべるだけなら

でも ぼくが さっき つかんだ手は ほんものの 手だったぞ！

手？ 何の ことだ

女の 手だった！ 確かに手だった！

手袋を 通して 確かに ふれた！

これは 宇宙船じゃ ない！ 地下の 実験室で 外には 女がいる
そうとも！ でなけりゃ 何でぼくは ここにいるんだ？

ほら 何日か前の コーヒーの しみだ 何日前かな？ だめだ ひとりごとが とまらない

そろそろ 限界かな しかし 幻覚は 見ないな 変だな そうだ 2分間推定を やろう
1
2
3
4
5
6
…

キイッ
あれ
これはついに幻覚か……
パチン
聞こえるか
10日目だ
実験は終わりだよ ルイ
……
ルイ・ネル よく もったわね だいじょうぶ？
アクシデントにはびっくりしたけど
きみが手をつかまれてね
あ 手だ
ほんものの手だ
ニコ

こういう感覚遮断の実験で
10日も辛抱できた者ははじめてだよ
集中力もよく持続していたし
それに幻覚もなくてトリックもぼくはひ…
ひっかからか……ない
ひとつだけ現われたよ
手は現実に……
いやいや
コーヒーのしみだよ
きみはコップを落とさなかったしだからしみもできなかった
あとで見てみたまえ部屋を
……

実験への協力ありがとうルイ・ネル
しばらくゆっくり地上でやすみたまえ
外界！

10日ぶりの外界だ！
右足左足
BOY'S
Emporium
Sav-on
ALPHA
何だかくらくらするな……
住みなれた街がまるではじめての場所みたい
まァ感覚遮断の実験だったんだからな
すぐもとにもどるさ
さァTVを見るぞレコードを聞くぞ！
女の子と会うぞディスコに行くぞ！
10日分のしげき！しげきを
とりもどすぞ!!
聞いてるの？
ルイ・ネル
聞いてるの？
あ……
何ようにまにま笑って
地下室の実験で頭やられたの？
踊りましょうよ
あ……
どうしたのわたしを見てよ
あ……

……ねえ……
ん？
ここはほんとに地球かい……
何言ってんの！ルイ
……きみは地球人ほんものの…？
SFやめてルイ！
へんだな……
何もかも…
実感がなくって……
うそみたいだ……
いったいこの世のどれほどが
ぼくにとっての真実だというのだろう
確かなものは何もない
何もないあの部屋とおんなじだ！
どうしたのよルイ・ネル！
ほんとのことは何もない
ぼくはひとりで死んでゆく

ぼくに
手をおくれ
——ほんものの
手を！

明日から
わたしが
実験室に
入るのよ
何日
辛抱
できるかしらね

研究所長の
奥さん
自らですか？
はじめて
でしょう？
ドキドキよ

ルイ・ネル
記録係のほうに
参加して
くれないか
仕事は
かんたんさ

薬の
用意とか
食事の
用意とか
……

ええ

ええ
やります

あの 小さな
白い部屋で
あなたは
しだいに
死んでゆく
あそこは
宇宙
あなたは
追放された人
または
幽界
あなたは
黄泉の人

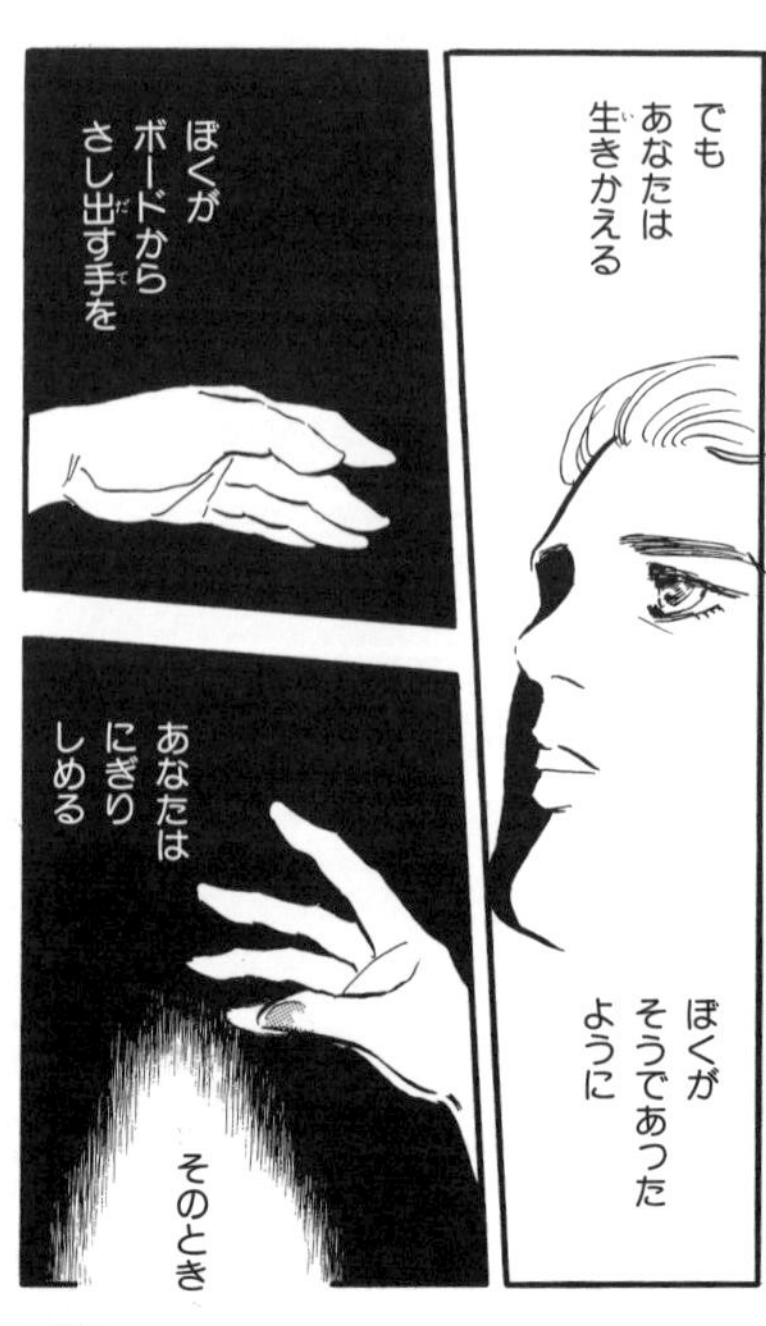

でも
あなたは
生きかえる
ぼくが
そうであった
ように
ぼくが
ボードから
さし出す手を
あなたは
にぎり
しめる
そのとき

ぼくたちは

果てしない
永遠の眠りから
目覚めるのだ――

［番外編］
ひきこもらなかったせいで、ひどいめにあう話　頭木弘樹

最後に番外編として、ひきこもる話ではなく、逆に「ひきこもらなかった」せいで、ひどいめにあう話をご紹介したいと思います。

閉じこもることが好きではなく、なれていない人にとっては、ひきこもりというのは監禁状態と同じで、とてもきつく、苦しいものです。少しでも早く、ちょっとでもいいから、外に出たくなります。水中で息を止めている人が、水面に出て息継ぎをしたくなるようなものです。

休日に、一日ずっと部屋にいただけで、いらいらしてしまう人さえいます。

しかし、ひきこもっていなければならないときというのもあります。新型コロナウイルスの蔓延で、それを体験した方も多いでしょう。外に出ることが、自分の身を危うくする

こともあります。

そんなお話をご紹介したいと思います。といっても最近の話ではなく、江戸時代後期に書かれた、上田秋成の『雨月物語』の中の一編です。

タイトルは「吉備津(きびつ)の釜(かま)」。

こんなお話です。吉備の国賀夜(くにかや)の郡庭妹(こおりにいせ)（現在の岡山市北区庭瀬）に井沢正太郎という男がいました。いつも遊び歩いているので、父親が身をかためさせようと、吉備津神社の神主(かんぬし)の娘を嫁に迎えます。

そのとき、御釜祓(みかまばらい)の神事をとり行ないました。釜で湯をわかし、釜が鳴るかどうかで、吉凶を占うのです。牛が吼(ほ)えるような大きな音で鳴れば吉、鳴らなければ凶。はたして、釜は鳴りませんでした。しかし、神主の妻は、すでに結納(ゆいのう)をとりかわしたし、良縁だからと、そのまま結婚させてしまいます。

結婚当初は、うまくいきました。妻の磯良(いそら)はかいがいしく働き、夫の正太郎も妻をいとおしく思いました。しかし、それもしばらくのこと。正太郎の遊び癖がまた出てきます。遊女を身請(みう)けして、妾宅(しょうたく)に住まわせ、そこにいりびたって、家に戻らない日が続きました。

父親は怒って、正太郎を座敷牢に入れます。磯良はそれを悲しく思い、夫の世話をするだけでなく、妾宅のほうへもこっそり物などを届けて世話をしていました。

しかし正太郎は、そんな妻の磯良を騙して、改心したふりをして、磯良の着物や持ち物を売ってお金に変えさせ、実家から借金もさせて、そのお金を持って、遊女といっしょに逃げてしまいます。

あまりの仕打ちに、磯良は傷つき、そのまま病気になって寝込んでしまい、とても助からない状態に……。

一方、正太郎のほうは、遊女を連れて都に行き、親戚の彦六のやっかいになり、彦六の隣の家で、遊女と仲むつまじく暮らし始めます。ところが、遊女は物の怪にでも取り憑かれたようになって苦しみ、七日で死んでしまいます。

正太郎は嘆き悲しんで、毎日、お墓参りをしていましたが、そこで夫を亡くして悲しんでいる美人の奥方の話を耳にして、誘われるままに、その奥方の家を訪れます。するど、屏風の向こうから現れたのは、なんと磯良。青ざめて痩せ細ったその姿を見て、正太郎は悲鳴をあげて気を失ってしまいます。

しばらくして気がつくと、そこは墓地の中。あわてて家に戻った正太郎は、彦六の紹介で、陰陽師に相談します。

陰陽師は、「この怨霊は、女の命を奪い、さらにあなたの命もねらっています。このままでは今晩か明朝にはあなたも死にます。この怨霊が世を去ったのは七日前ですから、これから四十二日の間、かたく戸を閉めて、ひきこもりなさい。すべての戸にお札（ふだ）を貼（は）って、ひたすら神仏に祈りなさい。そうすれば、命は助かるかもしれません」と言って、正太郎の身体中に筆で呪文を書いて、たくさんのお札をくれました。

正太郎は家に戻ると、言われた通り、戸にも窓にもすべてお札を貼って、ひきこもりました。

すると、真夜中に外から、「ああ、憎らしい。お札が貼りつけてある」という、おそろしい声がしました。しかし、中には入ってこられない様子です。その後も、毎晩、怨霊は家のまわりをうろつき、その声のあまりのおそろしさに、正太郎は気を失うことも。

しかし、なんとか無事に四十二日目の最後の夜となります。もう一晩、無事にやりすごせれば、それで命は助かります。

ここからは、原文を引用しましょう。カッコで少しだけ注を入れましたが、わかりにくいところはどんどん飛ばして、雰囲気だけでも味わってみてください。

> かくして四十二日といふ其の夜にいたりぬ。今は一夜にみたしぬれば、殊（こと）に慎（つつし）みて、やや五更の天（そら）もしらじらと明けわたりぬ。長き夢のさめたる如く、やがて彦六をよぶに、壁によりていかにと答ふ。おもき物いみも既に満（み）てぬ。絶えて兄長（このかみ）の面（おもて）を見ず。

なつかしさに、かつ此の月頃の憂さ怕ろしさを心のかぎりいひ和まん。眠さまし給へ。我も外の方に出でんといふ。彦六用意なき（軽はずみな）男なれば、今は何かあらん、いざこなたへわたり給へと、戸を明くる事半ばならず、となりの軒にあなやと叫ぶ声耳をつらぬきて、思はず尻居に座す（尻もちをつく）。こは正太郎が身のうへにこそと、斧引提げて大路に出づれば、明けたるといひし夜はいまだくらく、月は中天ながら影朧々として、風冷やかに、さて正太郎が戸は明けはなして其の人は見えず。内にや逃げ入りつらんと走り入りて見れども、いづくに竄るべき住居にもあらねば、大路にや倒れけんともとむれども、其のわたりには物もなし。いかになりつるやと、あるひは異しみ、或は恐る恐る、ともし火を挑げてここかしこを見廻るに、明けたる戸腋の壁に腥々しき血灌ぎ流れて地につたふ。されど屍も骨も見えず。月あかりに見れば、軒の端にものあり。ともし火を捧げて照し見るに、男の髪の髻ばかりかかりて、外には露ばかりのものもなし。浅ましくもおそろしさは、筆につくすべうもあらずなん。夜も明けてちかき野山を探しもとむれども、つひに其の跡さへなくてやみぬ。

ようするに、夜が明けて外が明るくなったと思ったのに（戸のすき間から朝日が差し込んできたのでしょう）、戸を開けてみると、じつはまだ真夜中で、外は真っ暗。

この光と闇の対比がなんともあざやかです。

暗いうちは戸を開けてはいけないのに、怨霊に騙されて、開けてしまったわけです。正太郎の叫び声を聞き、隣の家の彦六が駆けつけてみると、どこにもその姿がありません。ただ、なまなましい血が壁に飛び散っていて、それが地面にまで流れている。そして、ひとつかみの髪の毛が軒(のき)の端にひっかかっている。他には何もない。

この髪の毛が残っているところも、こわいですね。

『雨月物語』は現代語訳も多数ありますし、文豪・石川淳の『新釈雨月物語』もありますし、マンガ化もされています。いずれかで、ぜひ読んでみていただければと思います。

私は子どもの頃、赤塚不二夫のマンガで読んだのが最初です。といっても、「吉備津の釜」の忠実なマンガ化というわけではなく、最後のひきこもりのところだけを使った、別の物語でした。

たしか、主人公はイヤミでした。何か事情があって、イヤミは呪われることになって、何日間か、小屋の中にひきこもります。お札を貼って、お経を読んだりしていたと思います。すると、最後の日の朝になって、戸のすき間から朝日が差し込んできて、ニワトリが鳴き、小鳥たちもちゅんちゅんとさえずり始め、朝の物売りの声が「トーフー(豆腐)」

などと聞こえてきます。

この「音」で朝を表現しているのが、とても印象的でした。後から思うと、小泉八雲の『日本の面影』の「神々の国の首都」での、松江の朝の始まりの感動的な描写のようでした。

イヤミは、これは完全に夜が明けた、もう大丈夫と大喜びで、戸をさっと開けます。するとと、目の前は、真夜中の真っ暗な闇。音は何ひとつせず、シーンと静まり返っています。

これはとてもこわかったです。このシーンは、絵で見たほうがショックが大きいかと思います。

このマンガがずっと記憶に残っていて、のちに『吉備津の釜』からきているのだと知りました。

この赤塚不二夫のマンガが、何だったのか、調べてみたのですが、わかりませんでした。ご存じの方がいらしたら、ぜひお教えいただけると嬉しいです。

あとがきと作品解説

「ひきこもり図書館」は、現実に建てたとしても、ひきこもっている人は家から出ないわけで、訪れる人はあまりいないかもしれません。

そこで、本で作ってみました。ひきこもっていても手にとれるように。

私はひきこもっているとき、書店に行くのが難しかったですし、宅配便を受け取るのもすごく負担でした。なので、今回は、アンソロジーには珍しく、電子書籍も出してもらう予定です。

それぞれにご都合のいいかたちで、入手していただければと思います。

もちろん、ひきこもっている人だけでなく、ひきこもっていない人にも、広くお読みいただきたいです。

それでは、これからそれぞれの作品について、ひとつずつご紹介していきます。この解説は、できれば、作品をお読みくださった後で、お読みください。

というのも、内容にふれますので、ネタバレのようなことになりますし、私が個人的にどう読んだかということも、多様な読み方の一例として、書いてあるからです(先に見ると、先入観になってしまう場合もありますので)。

なお、作品を読むときには、「作者がどういうつもりで書いたかが大切」という人もいますし、「自分にひきよせた個人的な読み方ではなく、普遍的な読み方をすることが大切」という人もいます。

しかし、私はそうは思いません。まずは、強引にでも、自分にひきよせて読むべきだと思います。作者がどういうつもりで書いたか、他の人がどう読むかなどには関係なく、この作品は自分自身にとってどういうふうに読めるか、そこが肝心だと思います。「これは自分のことを書いた小説だ」「自分の気持ちを書いた小説だ」と思えるとき、作品は最も輝きを増します。

たとえば、ニュートンの万有引力の法則を理解するとき、「リンゴが落ちるのを見てその法則を発見したとき、ニュートンはどういう気持ちだったのか」とか「落ちたリンゴはどんなリンゴだったのか」ということより、自分が落としたスイカが地面に落ちて割れたのも万有引力のためだったのかと、まず個人的な体験で納得することのほうが肝心です。

そして、個人的体験で納得することが、すべてのものに引力が働いているという普遍的な理解への第一歩にもなるはずです。

それと同じで、まずは強引にでも、自分にひきよせてお読みいただければと思います。以下に書く、私自身がどう読んだかは、あくまでその一例です。

前置きが長くなりましたが、これから掲載順に、ひとつひとつご紹介していきたいと思います。

●巻頭の言葉

ナサニエル・ホーソーンが知り合いに書いた手紙の一節です。

ホーソーンは大学卒業後、十二年間、自分の部屋にひきこもっていたそうです。

これはその十二年目に書かれた手紙です。

それくらい長くひきこもっていると、「たとえドアが開いていても、外に出るのが怖いのです」ということになってしまうんですね。

私も十三年間ひきこもっていたので、すごくよくわかります。

私の場合、難病のせいでひきこもっていたので、好きでひきこもっていたわけではありません。ひきこもりたくなくて、外に出たくてしかたありませんでした。

それなのに、十三年目に手術をして、ある程度、外に出られるようになったとき、私もホーソーンと同じでした。もう、外に出るのが怖いのです。

ひきこもりは、ひきこもりの原因となったことが解決されれば、外に出られると思われがちですが、そうでもありません。ひきこもったばかりのときなら、そうかもしれませんが、長くひきこもっていると、もはや外に出られるようになっても、出られないのです。

ひきこもり生活に心や身体が適応してしまって、外の世界に不適応になるのです。

ひきこもりを外に出したいと思っている人には、このことを知っておいてほしいです。

●萩原朔太郎「死なない蛸(たこ)」

散文詩集『宿命』に収められています。もともとは『新青年』という雑誌に掲載されたものです。

ひきこもっていて、恐ろしいのは、そのまま忘れられてしまうことではないでしょうか。

具体的には、食事をとれなくなるということです。どんなに外部との接触を断とうとしていても、食事だけは外から取り入れないわけにいきません。

家族が食事を用意してくれたり、自分で宅配便を頼んだりということが多いかと思いますが、親が何らかの理由でいなくなったり、お金がなくなったりしたとき、いったいどうなるのか？

社会との接触を断っているだけに、救いを求めることも難しいです。

私も、ひとりで孤独にひきこもっていたので、そのことがとても不安でした。

この蛸は、存在を忘れられてしまい、でも水槽から出ることもできず、飢えて自分自身を食べ、食べつくして消滅してしまった後も、「或る物すごい欠乏と不満をもった、人の目に見えない動物が生きて居た」ということに。

すさまじいイメージです。

萩原朔太郎は、小学校の頃から学校になじめず、中学でも高校でも落第し、受験にも何度も失敗し、大学も退学に。先生から「朔太郎の学業に将来の望みなし」と父親に通知まで。

朔太郎は故郷の前橋に戻ってきて、ひきこもりとまではいきませんが、売れない詩を書いたり、マンドリンを弾いたりして、日々を過ごしました。周囲の目は冷たく、「かなしき郷土よ。人人は私に情なくして、いつも白い眼でにらんでいた。単に私が無職であり、もしくは変人であるという理由をもって、あわれな詩人を嘲辱し、私の背後から唾をかけた」と書いています（「純情小曲集・出版に際して」）。

そうした体験も、この散文詩に生かされているのでしょう。

●フランツ・カフカ「ひきこもり名言集」

カフカの日記や手紙を読んでいると、ひきこもり願望のすごさに驚かされます。

前にも書いたように、まだ「ひきこもり」という言葉もない時代です。

本当に、カフカは現代人のようだなと思います。今なら、こういう人も少なくないでしょう。

会社に行くのが嫌で、でも家が好きなわけでもなく、ようやく実家を出て、自分の部屋を持つのですが、すぐに結核になってしまいます……。

親友もいましたし、恋人もいましたし、会社でもうまくいっていました。はた目には、恵まれて見えたかもしれません。実際、カフカの父親は、足の古傷を見せては、自分が子どもの頃の苦労話をして、「おまえは恵まれている」と説教しました。

しかし、当人としては、つねに絶望していて、地下室、それもいちばん奥の部屋で過ごしたがっていました（もちろん、そんな部屋は実際にはなく、空想ですが）。

私はカフカの絶望の名言に惚れ込んで、これまで、『絶望名人カフカの人生論』（新潮文庫）、『絶望名人カフカ×希望名人ゲーテ 文豪の名言対決』（草思社文庫）、『カフカはなぜ自殺しなかったのか？』（春秋社）などで、ご紹介してきました。

今回、カフカの言葉の中から、ひきこもりに関するものを集めて、あらためて訳し直しました。じつは、まだまだたくさんあります。

●立石憲利 編著「桃太郎」

『桃太郎話 みんな違って面白い』（岡山市デジタルミュージアム発行、吉備人出版発売）という、とっても面白い本があります。民俗・民話の調査・研究者、語り手である立石憲利さんが、岡山をはじめとして中国地方や全国に伝わる「桃太郎」の昔話を集めて、一冊にまとめたものです。

「同じ『桃太郎』の話ばかり集めてどうするの？」と思うかもしれませんが、同じではないんです。「桃太郎」には、じつにたくさんのバリエーションがあります。

最近、おじいちゃんやおばあちゃんが昔話を孫に語って聞かせると、「本で読んだのとちがう！ 間違ってるよ！」などと注意されてしまうそうです。

でも、これは子どものほうが間違い。昔話というのは、本来、どんどん変化するものので、正しいバージョンなんてものは存在しません。

世界中を口から口に伝わっていき、国によって変化します。日本国内でも、地域によって変化していきます。同じ場所でも、話す人によって変化します。時代によっても、もちろん変化します。伝言ゲームのようなものですから。

それでいいのです。そうしたたくさんの変化が積み重なって、お話は面白くなっていきます。また、不思議なことに、お話の肝心なところというのは、世界中をめぐっても、時代をどんなに経ても、ちゃんと残っていくのです。

古典落語も、江戸時代から口伝（くでん）で語り継がれて来たものです。さまざまな落語家さんの工夫が積み重なって、面白くなっていきます。それと同じことと考えると、わかりやすいでしょう。これは、どんな天才であっても、ひとりの力では決して到達のできない面白さです。

「桃太郎」に話を戻しますが、お供をするのは「犬、猿、雉（きじ）」というのが有名ですが、じつは他にもさまざまなバリエーションがあって、「牛糞（くそ）」や「腐（くさ）れた縄」が、きび団子をもらってお供をしたりもするのです！

私は昔話が大好きで、とくにこういう類話の比較が面白くてなりません。自分でも、宮古島の昔話の再話をときどき、福音館書店の月刊誌『母の友』に掲載させていただいています。宮古島に移住したのも、古くて面白い昔話が残っているからです。

それでも、じつは「桃太郎」は好きではありませんでした。というのも、鬼退治をして宝物を持って故郷に錦(にしき)を飾るというのが、いかにも立身出世物語のようで、鬼ヶ島に出かけるどころか、部屋から出ることさえもできないひきこもりには、気に食わなかったからです。

ところが、桃太郎が鬼退治に行かない類話があるのです！　それをこの『桃太郎話 みんな違って面白い』で初めて知りました。鬼退治に行かないどころか、外に出るのさえ面倒がって、なかなか出ていきません。こんな桃太郎もいたなんて！　一気に桃太郎への親近感が増しました。

今回、掲載させていただいたのも、そうした類話のひとつです。他にもありますので、ぜひ『桃太郎話 みんな違って面白い』をご覧になってみていただきたいです。

人間、必ずしも、鬼退治に行って宝物を得たりしなくていいのです。

●星新一「凍った時間」

ひきこもる理由のひとつとして、他人の目の圧力によってというのは、かなり多いのではないでしょうか。

病気にしろ、障害にしろ、容姿にしろ、性格にしろ、いわゆる「普通」と呼ばれる多数派の人たちとちがっていると、それだけで差別を受けてしまいます。

上方の落語家で、四代目桂米團治（かつらよねだんじ）という人は、白いニワトリを一羽、絵の具で緑色に塗って、ニワトリ小屋に戻したことがあるそうです。そうすると、そのニワトリは、他のニワトリたちから、激しい攻撃を受けたそうです。米團治は「鶏（にわとり）て、あんまり賢い方やないなあ」と言ったそうですが、人間も同じです。ジョセフ・ロージー監督の『緑色の髪の少年』という映画もあります。髪の毛の色が緑色なせいで差別されます。

しかし、他の人とちがうということは、よくないことばかりではありません。こんな話を聞いたことがあります。黄色い花畑では黒い蝶は鳥に見つけられやすく、すぐに食べられてしまいました。でも、環境が変化して、花の色が黒く変わったため、今度は黄色い蝶のほうが目立って鳥に食べられやすくなり、黒い蝶のほうが生き残ることに。

このショートショートでも、主人公はサイボーグであるために差別され、ひきこもっています。しかし、サイボーグだからこそ、他の普通の人たちがみんな、眠りガスでやられてしまったときに、ひとりだけ眠らずにすみ、世界を救います。

しかし、救われた普通の人々が目覚めたとき、また主人公の立場は……。

もし、もう一度、同じようなことが起きたとしたら、彼はそのとき再び世界を救うでしょうか？

●エドガー・アラン・ポー「赤い死の仮面」

感染症を避けるために、ひきこもるというのは、新型コロナウイルスのパンデミックによって、あらためて世界中の人々が体験しました。

お金持ちの中には、いち早く都市部を離れ、あまり人のいない地域で、食料品などの生活必需品や娯楽のためのものなども充分に備蓄をして、パンデミックが収まるまで、ひきこもろうとした人たちもいました。まさにこの物語のように。

しかし、いくらひきこもっていても、外で感染症が蔓延(まんえん)していれば、絶対に安全ということはありえません。

貧しい人たちや、海外から来た人たちを差別して、充分な治療を行わなければ、けっきょく全員が大変なことになるというのは、新型コロナウイルスによる教訓のひとつでしょう。

「ひきこもっているあいだに、外の世界がどうなろうがかまうものか。悲しみに暮れたり考えこんだりするなど、ばかばかしい」という態度が、自分の死を招くというのは、決して道徳的な作り話ではなく、厳しい現実です。

ゴシック風の恐怖小説の古典的名作ですが、品川亮さんの新訳によって、モダン・ホラーのような新しい味わいになったのではないかと思います。

火の鳥が、火の中に飛び込むことで、何度でも若くよみがえるように、海外の古典は、翻訳によって、何度でも新しく生まれ変わります。そこが新訳の面白いところです。

●萩原朔太郎「病床生活からの一発見」

萩原朔太郎の再登場。ひとつのアンソロジーに同じ作家が二回登場するのはどうかと思ったのですが、それぞれまったくちがった作品で、どちらも外しがたかったです。

私が難病になって、部屋でずっと寝込んでいたとき、同じ部屋の中を毎日ずっとながめているのですから、それは当然、最初はつまらなく感じました。

しかしそのうち、長年暮らしてきた部屋の中でも、じつはちゃんと見ていなかったところがたくさんあることに気づきました。

たとえば、木の机の引き出しの裏側。寝ているとそれが見えるのですが、机に座っているときは見えない場所ですから、長年ちゃんと見たことがありませんでした。こんな木目になっていたのかと、何かひどく不思議な気がしました。

机の引き出しの裏側を見て、何が面白いんだと思うかもしれませんが、そういうふうに、だんだんものの見方が細やかになっていくんです。

花だって、どれほどの人が、じっくり見つめているでしょう。じっくりながめると、じつにいろんな細部があって、驚きがあって、情報量は無限と言っていいほどです。いろんなものをちゃんと見ていなくて、ちゃんと感じていなくて、ちゃんと味わっていなくて、これまでなんて鈍感に生きてきたのだろうと思いました。

山田太一脚本の『早春スケッチブック』（大和書房）というドラマの中に、こんなセリフがあります。焚き火をしながら、男が言うのです。

「いいもんだ。こうやって、じーっと火を見てるなんてことが実になかった」

「物でも人でも――じっくり見たことがない」

「人でも物でも、本当には見ていない」

「そういうことが続くと、どうなるか分るかい？」

「胸ン中、からっぽになるのさ」

「魂がうつろになるんだ」

「なにかを、心から好きになるなんて事もなくなっちまう」

「こうやって、たとえば、火を見てる。じーっと見てる。すると、随分長いこと、なにかをじーっと見たことがなかったと思う。しかし、ジリジリして来る。根気がない」

「我慢して座ってる。フフ、あんたも、たまには、いいだろう。つき合って、この、火でも見てってくれ」

こういう「じーっと見てる」を、ひきこもっていると、自然と実践することになります。そして、日常のささやかなことに、幸せや、驚きを感じるようになります。手を洗うときの水の流れ、茶碗の手ざわり、日射しの変化で部屋の空気感がどんなふうに変わるか、光の中で舞って見えるホコリまでが目を離せないほど美しく感じられることがあります。病気をしていたからなおさらですが、ありきたりな日常が、なんて奇跡的なものだろうと感じるようになりました。

そうした心境の変化を、これほどちゃんと書いてくれているエッセイはなかなかないと思います。

なお、このエッセイの中に出てくる正岡子規(まさおかしき)は、俳句や短歌を改革した人ですが、二十歳で結核になり、二十八歳で歩けなくなり、三十四歳で若くして亡くなるまで、寝たきりの生活でした。『病状六尺』という随筆集でこう書いています。

「病床六尺、これが我世界である。しかもこの六尺の病床が余には広過ぎるのである。僅(わず)かに手を延ばして畳に触れる事はあるが、蒲団(ふとん)の外へまで足を延(の)ばして体をくつろぐ事も出来ない。甚(はなは)だしい時は極端の苦痛に苦しめられて五分(ごぶ)も一寸(いっすん)も体の動けない事がある」

こうした正岡子規の歌を、健康なときの萩原朔太郎は理解できず、病気になって理解できたというのは、なんとも興味深いことです。

●梶尾真治「フランケンシュタインの方程式」

梶尾真治の『地球はプレイン・ヨーグルト』（ハヤカワ文庫）というSF短編集に出会ったとき、どれほど嬉しかったかしれません。

こういうSFを読みたかった！　としみじみ思いました。日本にこういう作家が現れてくれて、本当にありがたいと思いました。

リリカルな作品から、爆笑ものまで、いろいろ入っている短編集でしたが、この「フランケンシュタインの方程式」は、その中の一編です。

作中でもふれられているように、SFの古典に「冷たい方程式」という短編があります。作者はアメリカのSF作家トム・ゴドウィンです。

疫病が発生した星に血清を届けるための小型宇宙船の中で、密航者が見つかります。

十八歳の少女で、目的地の星にいる兄に会いたい一心でした。しかし、宇宙船には最小限の燃料しか積まれていないので、少女の分の重量が増えると、目的地に着けません。そうなると、血清を待つ人たちの命まで失われてしまいます。なんとかして少女を助けてあげたいけれど、どう計算しても無理です。少女は、真空の船外に破棄されてしまいます……。

その後、こうした難題をどうにかして解決できないか、さまざまな作家が「○○の方程式」という作品を書きました。

その中でも、私は「フランケンシュタインの方程式」の解決策は、最も斬新なものではないかと思います。そして、意外な結末の衝撃。

「○○の方程式」が魅力的なのは、外に出れば一瞬で死んでしまうという、どうしても外には出られない、宇宙船の中の出来事だからです。

考えてみれば、宇宙で宇宙船の中にいるほど、完璧なひきこもり状態はないでしょう。

そして、船内だけで、なんとかして問題を解決しなければなりません。

ひきこもりも、さまざまな問題を、部屋の中だけで解決しなければなりません。ひきこもり生活の中では、そういう必死のドタバタが、けっこう頻繁に起きます。

自分の部屋にひきこもっていて、何の問題が起きるのかと思うかもしれませんが、私の知り合いで、やはりずっとひきこもっている人がいるのですが、その人はベランダのサンダルが片方なくなっただけで、一日中大変な騒ぎになっていました。外には探しにいけないので、どのようにして対応するかというのは、じつに難題なのです。

この「フランケンシュタインの方程式」の船内でのドタバタは、そうしたひきこもりのドタバタを彷彿(ほうふつ)とさせます。

部屋の中だけで解決するというのは、こんなにも困難で、苦悩に満ち、はたから見れば笑えてしまうことなのです。

●宇野浩二「屋根裏の法学士」

これを読んで、「いい気なものだ！」と腹の立つ人もいるかもしれません。

一方で、大いに共感する人もいるでしょう。

いずれにしても、これが書かれた大正七年当時、こんなことを書く人はまだいなかったようで、文芸評論家の長谷川天渓(てんけい)は「日本にも、かういふ小説を書く者が出てきた」と賞賛し、小説家で評論家の中野重治(しげはる)も「とんでもないおもしろい作家が現れたという印象を受けた」そうです。

ということは、これが日本で最初のニート小説なのかもしれません。

掲載されたのは、『中学世界』という雑誌です。名前の通り、中学生が読むためのもので、受験専門誌だったそうです。当時の中学校は、今の高校に相当します。これから受験しようという若者たちが読む雑誌に、こんなニートなことを書くのですから、宇野浩二はたいしたものです。

最初のほうに、主人公の子どもの頃からの経歴がやたらくわしく書いてありますが、それは読者が中学生だからということもあるわけです。

この主人公の経歴は、宇野浩二自身とかなり一致しています。宇野浩二も三歳のときに父親が亡くなっています（満年齢だと二歳）。そして、母親が親類に遺産を託して、その親類が破算してしまいます。その後は、父の従弟にあたる人の世話になり、商業学校に行くように言われます。ただ、法科に進んだわけではなく、宇野浩二は早稲田大学英文学科予科に入学します。そこはちがいます。卒業試験に落第し、大学は中退しています。

なお、この「屋根裏の法学士」というタイトルを見て、江戸川乱歩の「屋根裏の散歩者」を思い出した人もいるでしょう。江戸川乱歩は宇野浩二の小説を愛読していて、「あのダラダラした文章」が好きだったそうです。「屋根裏の散歩者」には「屋根裏の法学士」の影響があると言われています。

●ハン・ガン「私の女の実」

私は自然の豊かな田舎で生まれ育ちました。植物は、たとえそこがトイレの裏の日陰であろうが、生えた場所から動けません。そんなふうに、生まれた土地から動かず、育ち、働き、結婚し、子どもを生み、死んでいく人も少なくありませんでした。

私はそういう生き方は望みませんでした。人間は植物ではない。生まれた場所から動くことができる。だったら、動かなければと思いました。

それで、大学進学のとき、遠い土地へ出て行きました。しかし、数年で難病になってしまい、ひきこもることに。

この小説に出てくる女性の母親も、「お母さんにとって世の中とは、あの海辺の貧しい村のことだったのでしょ。そこで生まれ、そこで育ちましたね。そこで子供を産み、そこで働き、そこで年老いたのですね。いつかはあの、先祖の墓のある山のふもとに、お父さんと並んで横たわることでしょう」という人物です。

女性自身は、「お母さんみたいになってしまうのがいやで、私は遠い遠いここまでやってきました」のですが、けっきょくマンションの一室にとどまって生活することになり、ついには植物になってしまいます。

そういうところで、私は自分に重ね合わせて、とても心にしみました。みなさんは、どんなふうにご自身と重ね合わせたでしょうか？

また、植物というのは、ひきこもりにとって、特別な存在です。ひきこもると、同じ部屋の中をずっと見て暮らすことになります。同じテレビ、同じベッド、同じ床、同じ天井。それらは、当然、まったく変化しません。ホコリがたまったり汚れたりしていくくらいです。

そういう中で、もし部屋の中に鉢植えなどの植物がある場合、その植物だけは変化していきます。日々少しずつであっても、ひきこもっている者にとって、それは大きな変化です。

先の「病床生活からの一発見」で萩原朔太郎がひきつけられたのも、部屋の中の蠅や花です。いずれも生き物です。あれがプラスチック製品などだったら、そうは見つめていられません。生き物というのは、どんなに小さくて、どんなにじっとしていて、どんなに変化がないようでも、たえずわずかに変化して、長い間には驚くほど変化します。（なお、この小説で、植物になった女性は、「すべてがいっそう生き生きと感じられます」。これは萩原朔太郎の感覚と近いのかもしれません）

そして、ひきこもることは、植物になることに、近いところがあります。一箇所で動かずに生きていくようになるのですから。そして、自分自身はそれでも少しずつ変化していかないわけにいかないのですから。

この小説を、なぜひきこもり図書館に入れたのか、不思議に思われた方もおられるかもしれませんが、以上のように、この作品には、ひきこもりに関わる要素がさまざまあり、それぞれの読者によって、とても多様な読み方のできる作品だと思います。

もの言わぬ植物になってしまった妻は、そのようにしてかえって強靭（きょうじん）な生命力を手に入れ、自分を好きなように動かしてきた夫との立場を逆転させているようにも見えます。鈍感な夫は、妻が旅立とうとするのを止め、無味乾燥で人工的なマンションに閉じ込め、妻と自分の世界を完成させたように感じて陶酔（とうすい）する。妻は生命力を失ってひきこもっていくが、光と水だけで生きられる植物になることによってむしろ力関係を逆転させていく。移動の自由を自ら捨てることによって、自分勝手だった夫を自分に仕えさせる。さらに、自分と同じ実を生産して、その時間を延長する。もしかしたらこの物語は、力関係において弱いかに見えた妻が、夫をひきこもりに誘うお話なのかもしれません。

一方で、この夫婦には、いたわりあうような感情が底流にあったのではないかと読むこともできます。夫は家族との縁が薄く、非常に孤独に生きてきた人のようです。すべては寂しい男の妄想なのではないかというふうに読むことも可能でしょう。

性的対象になり得ないものへと変態することで、男女関係のあり方を再定義する物語のようでもあります。

じつにいろいろな読み方ができる作品です。

小説を読んで、心に残るフレーズがひとつでもあれば、それでもう読む価値はあったと私は思うのですが、この短編には、印象的なフレーズもたくさんあります。

個人的に好きなのは、「世の中でいちばん善良な顔をしてバスの後ろの座席で身をすくめていても、お母さん、握りこぶしでガラス窓をたたき割りたかったのです」「何が私をあんなにも苦しめたのでしょう、何から逃げようとして、私は地球の反対側まで行こうとしたのでしょう」というところ。

そして、「ベランダの天井を突き破り、上階の家のベランダを通り過ぎ、十五階、十六階を過ぎ、屋上の上までコンクリートと鉄筋をぶち抜いて、ひたすら伸び上がっていくのです。（中略）枝という枝を力いっぱい伸ばし、胸で空を突き上げるのです。そうやってこの家を出ていくのです」というイメージ！

著者のハン・ガンは、韓国で最も注目を集めつづけている作家で、日本でもとても人気があります。二〇一六年に『菜食主義者』でマン・ブッカー国際賞を受賞し、ますます世界中で翻訳されています。

「私の女の実」は、この『菜食主義者』の種子となった作品です。短編集『私の女の実』（二〇〇〇年。二〇一八年に改訂版刊行）の表題作です。もともとは雑誌『創作と批評』一九九七年春号に発表されました。

『菜食主義者』の日本版（きむ ふな訳 クオン）へのあとがきにハン・ガンはこう書いています。「今から十四年前の早春、『私の女の実』という短編小説を書きました。一人の女がマンションのベランダで植物になり、一緒に暮らしていた男が彼女を植木鉢に植えるという話です。そしていつか、この短編小説の変奏を書きたいと思っていました。十四年前の私が予想していたものとはだいぶ違う作品になりましたが、『菜食主義者』というこの連作小説の出発はそのときから始まります」

『菜食主義者』は、いつからか肉を食べることを拒（こば）み、徐々（じょじょ）に食べること自体を拒否するようになる女性をめぐる連作小説集で、表題作はそんな彼女を夫の目から見た物語です。

妻は、あらゆる暴力を拒む心情とシンクロさせるようにして、動物の体を食べることを拒み、口からものを食べることを拒み、まるで植物になりたがっているような、家族の理解できない存在になっていきます。

「私の女の実」で、植物になってひきこもる妻は、夫が見たこともないほど美しい。そして未知の力を秘めています。彼女がつけたたくさんの実のうち一つが『菜食主義者』になり、徹底して暴力に抗う強さを見せたのかもしれません。

この「私の女の実」という重要な作品が、日本では未訳でした。今回、この本で初めてご紹介できること、しかも斎藤真理子さんによって翻訳していただけたことは、とても幸運でした。

なお、この解説も、斎藤真理子さんのご協力を得て書きました。

●ロバート・シェクリイ「静かな水のほとりで」

この作品を知ったのは、「科学から空想へ――人工衛星・人間・芸術」という、荒正人、埴谷雄高、安部公房、武田泰淳の対談を読んだときです。

安部公房が次のように語っていました。

「シェクレーの小説に、ロボットと二人で空間ステーションで暮している話がありますよ。遠い昔に、不必要となり、そのまま忘れられてしまったステーションです。ロボットは実に精巧です。しゃべるのです。事前に吹き込んだものですが、人間の思考の条件をこまかく計算して割り出してあるから、ちゃんと会話ができるのです。ところが、だんだん年をとって機械がさびてくる。それで、返事のしかたが単純になってしまうのですが、そうなればそれで、けっこう通用するのですね。やがて人間は死に、ロボットだけが生き残る。とても孤独な、ぞっとするような小説です」(『安部公房全集』8　新潮社)

面白そうな小説だなあ！　と思いました。タイトルが不明だったので、すぐにはわからなかったのですが、後に『人間の手がまだ触れない』(稲葉明雄ほか訳　ハヤカワ文庫)という、これまたとても魅力的なタイトルの短編集に入っていることがわかりました。

読んでみると、安部公房が語っているのとは少しちがっていました。たとえば「遠い昔に、不必要となり、そのまま忘れられてしまったステーション」なんて出てきません。そのことも、また興味深く思いました。

以前、ネット上に面白いサイトがありました。「昔見て、すごく印象に残っているのだけど、なんという映画なのかわからない」という人が、そこにあらすじを書き込むのです。そうすると、他の人が「それは○○という映画では？」と教えてくれるのです。そのサイトの何が面白いかというと、おぼろな記憶で書かれているあらすじが面白いのです。たいていオリジナルと少しちがっていて、その勝手なアレンジがとても楽しいのです。好きな作品ほど、人は記憶の中で、自分なりに作り変えてしまうようです。

安部公房も、そういうことでしょう。好きな作品だからこそ、自分なりの味付けをしてしまっているのです。安部公房による脚色です。

オリジナルを読んでみると、なるほど自分なりにいろいろとイメージがふくらんでくる作品です。主人公の正体もはっきりしませんし、なぜ孤独を求めているのかもあいまいですし、他の人類はどうなっているのか、地球はまだあるのかなどもわかりません。

あえて、背景はぼかしてあるのでしょう。読者の想像を邪魔しないように。

短い小説ですが、とても心に残ります。

安部公房は、いわゆる純文学の作家ですが、SF小説も書いています。『第四間氷期』『人間そっくり』などです。日本にまだSF作家が存在しない時代に創刊された、ハヤカワ書房のSF雑誌『SFマガジン』に協力しています。

『SFマガジン』の初代編集長である福島正実の著書『未踏の時代　日本SFを築いた男の回想録』(ハヤカワ文庫)には、こう書いてあります。

「その当時のジャーナリズム一般の空気は、SFに対して、全く否定的だった」

福島正実は、いろんな作家に原稿依頼に行くのですが、断られ、「SFは諦めた方がいいだろう」と忠告までされてしまいます。

「結局、ぼくを励まし積極的に話相手になってくれたのは、安部公房氏くらいなものだった。安部さんはSFが現代小説の新しいジャンルになるだろうということに、ぼく以上の確信を抱いているように見えた。ぼくはしばしば安部家からの帰り道を、かなり昂揚した気持で何やらしきりと考えながら歩いていたことを思い出す」

『SFマガジン』が新人発掘のために開催した「SFコンテスト」では、あの『ゴジラ』の特撮監督の円谷英二などといっしょに、安部公房も第一回から第三回まで選考委員をつとめています。選評では、小松左京、眉村卓、豊田有恒、半村良などの応募作品をほめていて、さすがに才能を見抜く目があります。

(安部公房の選評は、ホッタタカシさんのこちらのブログで読むことができます。
https://ch.nicovideo.jp/t_hotta/blomaga/ar877727)

その安部公房が、ロバート・シェクリイをとても高く評価していました。

「シェクリイの作品は、何を読んでも、一風かわった肌あいを感じさせられる。着想もみごとだし、しゃれもじつに巧みだがそうした技巧以上に、彼のユニークさにはもっと根深いものがある。

それは、いわば、自然主義文学以前の大きな文学の流れに、本質的に根ざしているなにかがあるようだ。それが、もっとも現代的な、アメリカ的なかたちで表現されているのが、シェクリイの短篇だということができる。そこにある文明批評も、たんなるくすぐりに終っていない。彼はSF作家だが、アメリカのSFが、彼のような特異な麟質をもった作家によって、よりゆたかな、実り多い文学ジャンルに育ってゆくのはたしかだろう」（「最も現代的な文明批評家」『安部公房全集』29　新潮社）

「無限の可能性を求める非合理の主体として人間を考えるなら、たとえば恐怖という概念もなくなるのではなく、ますます大きな未知に対決しなければならないことになる。だからこれから可能性があるのは、たとえばポーなどのグロテスクであるとか、最近ではシェクレーの空想科学小説など、そういう新しい恐怖の発見や展開に可能性がある」（「科学から空想へ――人工衛星・人間・芸術」『安部公房全集』8　新潮社）

というように、エドガー・アラン・ポーと並べ称してもいます。

シェクリイの本は今、絶版ばかりで、あまり読まれなくなっていますが、これはとてももったいないことだと思います。あらためて読まれるようになることを願っています。

なお、今回、収録作品にSFが多くなりましたが、それはたまたまです。なるべくさまざまなジャンルの作品を収録し、漫画も必ず入れるというのが、私の編集方針です。

●萩尾望都「スロー・ダウン」

萩尾望都の漫画を初めて知ったときの衝撃は、いまだによみがえってくるほどです。「漫画というのは、こういうもの」というイメージ自体が、更新されたといってもいいほどでした。「こういう漫画もありうるのか！」と。

最初に読んだのは『マージナル』（小学館文庫）だったと思います。それからいろいろ読み、短編集『半神』（小学館文庫）で、表題作の「半神」に出会って、これは読まれた方はみんなそうだと思いますが、なんてすごい作品なんだと驚嘆しました。

そして、私が個人的に胸をわしづかみにされたのは、その短編集に収録されていた、この「スロー・ダウン」です。

視覚、聴覚、嗅覚、味覚、触覚などの感覚に対する刺激を極力減少させた状態で、ひとりで部屋に閉じこもって、しばらく過ごすという、「感覚遮断実験」が描かれています。これは実際に行われていた実験で、一九五〇年代から始まり、今でも続いています。

二〇一〇年には日本でも、ＪＡＸＡが「閉鎖環境に二週間」という実験の被験者を報酬三十八万円で一般公募したのがニュースになりました。二〇一八年に六回目の実験の公募もありました。

「感覚遮断実験」では約四十％の人が幻覚を体験します。それは異常なことではなく、起きて当然のことなのだそうです。そのことがわかったのも、「感覚遮断実験」の成果のひとつです。

この「スロー・ダウン」という作品は、そうした「感覚遮断実験」の興味深さも存分に描かれていますが、それだけでなく、ここで描かれているのは、もっと普遍的な「現実感覚」についてではないでしょうか。

特殊な実験に参加するまでもなく、私たちの現実感覚というのは、しばしばあやうくなります。目の前の現実が、なぜか現実のことのように思えなかったり、同じことを前にも経験したことがあるように思ったり、自分が現実から隔絶されているように感じたり……。

まして、長期間ひきこもっていると、「感覚遮断実験」とまではいかなくても、少しそれに近いところもあり、現実感覚など、さまざまな感覚が変化してきます。

私自身もそれを体験しました。でも、それがどういう体験なのか、うまく表現できませんでした。

それが、この「スロー・ダウン」では、短い中に、とても見事に描かれていて、さまざまな体験が凝縮した結晶のようでした。その輝きに、私はとても感激しました。

そして、さらに驚いたのは、「手」ということです。この「スロー・ダウン」では、手というものが、特別なものとして出てきます。そのことに私は驚いたのです。私は長い入院生活の中で、手というものを、とても特別なものに感じるようになっていました。病人というのは、横になった無防備な状態で、縦の状態の医師や看護師から、手でさわられます。その手は、治療のためとはいえ、さらなる痛みや苦痛を与える手でもあります。また、痛みや苦痛をとりさってくれる手でもあります。病気をするとは、手でさわられるということでもあります。

また、長く自宅にひきこもって、寝込んで療養していると、誰にも会いませんし、おそらく現実感覚がぼんやりしてくるのでしょう。その状態からいきなり病院に行って、ひどく痛くて苦しい検査を受けるときには、いろんな器具を前にして診察台に横たわっていると、なんだかこれが現実のことには思えなくなってきます。

そういうときに、ごくまれにですが、手を握ってくれる看護師さんがいます。これはとても、ハッとします。私にとって、この手は、ただの手ではありません。その感覚を私はうまく説明することができませんが、代わりにこの「スロー・ダウン」を読んでくださいと言いたいです。まさにこの「スロー・ダウン」に出てくる手なのです！　だから驚いたのです。

なぜ萩尾望都さんに、あの感覚がわかるのか。とても不思議です。天才恐るべしです。

今回のアンソロジーは、ぜひとも、この「手」で終わらせたいと思いました。

長くひきこもっていた方なら、きっと「ああ、私もわかる……！」とお感じになるのではないでしょうか？

●巻末の言葉

『ショーシャンクの空に』という映画からの引用です。

とても人気のある映画ですが、私はその中の小さなエピソードが強く心に残りました。

長く刑務所にいた囚人が、釈放されて自由になったのに、外の世界になじめず、「不安から解放されたい」といって、自殺するんです。

その話を聞いた別の囚人が、刑務所の塀を指さして、こう言います。

「あの塀を見ろよ。最初は憎み、しだいに慣れ——長い月日の間に頼るようになる」

私もまさにそうだったなと思います。ひきこもりたくない、外に出たいと願いながら、いつの間にか、外に出ることがこわくなっていました……。


収録作品のご紹介は以上です。

あなたの心に残る作品が、ひとつでもあれば幸いです。できれば、二つ、三つ、さらに四つ、五つ……と、たくさんあると嬉しいのですが。

私はかつて、アンソロジーのおかげで、いろんな作家や作品と出会いました。それは私にとって、とても大きなことで、あの作家をもし知らないままだったら、あの作品を知らないままだったらと考えると、こわくなるほどです。

なので、アンソロジーというものにとても恩義を感じています。それで、こうしてアンソロジーを編ませていただいている次第です。アンソロジーというものを愛していますし、少しでも恩返しができればと思っているからです。


アンソロジーというのは、こういう作品を収録したいと私が願えば、それで実現するわけではありません。著作者の方の許可、そして出版社の許可が必要です。

その許可願いの手紙を書くときは、ドキドキです。なかなかうまく書けず、何度も書き直します。

ぜひにもと心から願っている、大好きな作家さん、作品ばかりです。でも、その思いを伝えるのは、簡単ではありません。

手紙を出した後も、なんとも胸の苦しいものです。断られたら、どんなに悲しいだろう、承諾してもらえたら、どんなに嬉しいだろう……。

まさに、ラブレターを送って、返事を待っているような状態です。快諾してくださった作者の皆様、著作権継承者の皆様、そして出版社の皆様、誠にありがとうございました！　どれほど喜んでいるか、きっと想像しておられないほどです。

私のこれまでの三冊のアンソロジー『絶望図書館』（ちくま文庫）、『絶望書店』（河出書房新社）、『トラウマ文学館』（ちくま文庫）に引き続き、編集と翻訳を引き受けてくださった品川亮さん、今回の企画を実現してくださった毎日新聞出版の宮里潤さんにも、感謝の気持ちでいっぱいです。

そして、アンソロジーは、読んでくださる方がおられなければ意味がありません。作品を紹介するためのものですから。

こうして今、本を手にして、お読みくださっているあなたに、心より御礼申し上げます。この本があなたにとって、「あの本で、あの作家さんに出会えた、あの作品に出会えた」という、大切な出会いのきっかけとなることを願っております。

そして、あなたもアンソロジーを愛するひとりになってくださったら、嬉しいです。

底本一覧

萩原朔太郎「死なない蛸」（青空文庫／創元社『宿命』所収）
フランツ・カフカ「ひきこもり名言集」（Kafka, Franz : Gesammelte Werke. Hg. von Max Brod, Frankfurt a. M. 1950ff.）
立石憲利「桃太郎⑭—新見市」（岡山市デジタルミュージアム発行、吉備人出版発売『桃太郎話 みんな違って面白い』所収）
星新一「凍った時間」（角川文庫『ちぐはぐな部品』所収）
エドガ・アラン・ポー「赤い死の仮面（The Masque of the Red Death）」（Edgar Allan Poe, *Graham's Magazine*, 1846）
萩原朔太郎「病床生活からの一発見」（青空文庫／筑摩書房『萩原朔太郎全集第一〇巻』所収）
梶尾真治「フランケンシュタインの方程式」（ハヤカワ文庫『地球はプレイン・ヨーグルト』所収）
宇野浩二「屋根裏の法学士」（『中学世界』大正七年十月掲載）
ハン・ガン「私の女の実」〈내 여자의 열매〉문학과지성사〈내 여자의 열매〉２０１８／「私の女の実」文学と知性社『私の女の実』２０１８年）
ロバート・シェクリイ「静かな水のほとりで（Beside Still Waters）」（Robert Sheckley, *Amazing Stories*, 1953）
萩尾望都「スロー・ダウン」（小学館文庫『半神』所収）

＊旧仮名遣いの作品は常用漢字体・新仮名遣いに改め、読みにくい漢字には新たにふりがなをつけました。

頭木弘樹（かしらぎ・ひろき）

文学紹介者。筑波大学卒業。

大学三年の二十歳のときに難病になり、十三年間の闘病生活を送る。

編訳書に『絶望名人カフカの人生論』（飛鳥新社／新潮文庫）、『絶望名人カフカ×希望名人ゲーテ 文豪の名言対決』（飛鳥新社／草思社文庫）、『ミステリー・カット版 カラマーゾフの兄弟』（春秋社）。

著書に『絶望読書』（飛鳥新社／河出文庫）、『カフカはなぜ自殺しなかったのか？』（春秋社）。

選者を務めたアンソロジーに『絶望図書館――立ち直れそうもないとき、心に寄り添ってくれる12の物語』（ちくま文庫）、『絶望書店――夢をあきらめた9人が出会った物語』（河出書房新社）、『トラウマ文学館――ひどすぎるけど無視できない12の物語』（ちくま文庫）。

ラジオ番組の書籍化に『ＮＨＫラジオ深夜便 絶望名言』『ＮＨＫラジオ深夜便 絶望名言 2』（飛鳥新社）。

共著に『病と障害と、傍らにあった本。』（里山社）。

落語の本に『落語を聴いてみたけど面白くなかった人へ』（ちくま文庫）。

病気の体験を書いた本に『食べることと出すこと』（医学書院 シリーズ ケアをひらく）がある。

ＮＨＫ「ラジオ深夜便」の『絶望名言』のコーナーにレギュラー出演中。

Twitter https://twitter.com/kafka_kashiragi
Facebook https://www.facebook.com/hiroki.kashiragi
blog https://ameblo.jp/kafka-kashiragi

斎藤真理子（さいとう・まりこ）

韓国語翻訳者。訳書に『こびとが打ち上げた小さなボール』（チョ・セヒ、河出書房新社）、『回復する人間』（ハン・ガン、白水社）、『ディディの傘』（ファン・ジョンウン、亜紀書房）など。頭木弘樹が編者のアンソロジー『絶望図書館』『トラウマ文学館』（ちくま文庫）では李清俊の「虫の話」「テレビの受信料とパンツ」を、『絶望書店』（河出書房新社）ではクォン・ヨソンの「アジの味」を翻訳。『カステラ』（ヒョン・ジェフンとの共訳、クレイン）で第一回日本翻訳大賞受賞。

品川亮（しながわ・りょう）

著書『366日　映画の名言』（三才ブックス）、『〈帰国子女〉という日本人』（彩流社）、共訳書『スティーグ・ラーソン最後の事件』（ハーパーBOOKS）、共編著『ゼロ年代＋の映画』（河出書房新社）。アンソロジー『絶望図書館』『トラウマ文学館』（ちくま文庫）、『絶望書店』（河出書房新社）では、英米文学短編の翻訳を担当。

あの塀を見ろよ。
最初は憎み、
しだいに慣れ
——長い月日の間に頼るようになる。

映画『ショーシャンクの空に』

装幀　川名潤

ひきこもり図書館

部屋から出られない人のための12の物語

第1刷　2021年2月5日
第4刷　2024年11月5日

編者　頭木弘樹

発行人　山本修司
発行所　毎日新聞出版
〒102-0074
東京都千代田区九段南1-6-17
千代田会館5階
営業本部　03-6265-6941
図書編集部　03-6265-6745

印刷・製本　中央精版印刷

Printed in Japan.　ISBN978-4-620-32665-8